열일하는 과금기사

열일하는 과금 기사 3

초판 1쇄 발행 2021년 12월 28일

지은이 | 박건
발행인 | 신현호
편집장 | 이호준
편집 | 송영규 최종건 정재웅 양동훈 곽원호 조정범 강준석 최성화
편집디자인 | 한방울
영업 | 김민원

펴낸곳 | ㈜ 디앤씨미디어
등록 | 2002년 4월 25일 제20-260호
주소 | 서울시 구로구 디지털로 26길 111 JnK디지털타워 503호
전화 | 02-333-2513(대표)
팩시밀리 | 02-333-2514
E-mail | papy_dnc@dncmedia.co.kr
블로그 | blog.naver.com/gnpdl7

값 8,000원

ISBN 979-11-364-2896-7 04810
ISBN 979-11-364-2823-3 (SET)

박건 판타지 장편소설
Papyrus Fantasy Story
열일하는
파국기사
PAPYRUS
파피루스

chapter1.

될 놈은 된다

chapter1.
될 놈은 된다

귀환 주문서는 물량이 풍족하다 못해 썩어 가는 물품 중 하나이다.

푸쉬로도 주고 드랍 템으로도 주고 특히나 랜덤 박스에서 꽝으로 많이 나온다. 플레이어들이 가장 많이 파기하는 아이템이 있다면 바로 귀환 주문서일 것이다.

그러나 그렇다 해도.

'아, 이거…….'

나는 신음했다.

'모자라겠는데?'

"여, 영주님!"

"세상에. 어떻게 여길……."

"모두 조용히 해! 발칸 전사들이 들으면 어떻게 하려고!"

"아, 그건 걱정할 필요 없다. 근처에 살아 있는 오크는 없으니까."

나는 문을 열고 하나둘 밖으로 나오는 여인들의 모습을 확인했다.

'짐작대로군.'

역시나 오크들 또한 여성들을 죽이지 않았다. 브론즈소드 영지의 동쪽에 위치한 마을에 머물고 있는 400여 명가량의 여인들이 그 증거였다.

'다행이군. 가족을 잃어서 고통스러워하던 사람이 많았는데.'

"저, 저기."

그리고 그들을 이끄는 것으로 보이는 중년 여인이 조심스러운 태도로 입을 열었다.

"얼마 전부터 발칸 전사들의 분위기가 어수선하고 숫자도 줄었습니다. 혹시 근처에 군대가 와 있는 것인가요?"

"아니."

고개를 흔들자 여인들의 얼굴에 좌절이 깃든다.

나는 피식 웃으며 귀환 주문서를 꺼냈다.

"대신 내가 왔지."

"네? 하지만…… 아무리 영주님이라도 혼자서는."

당황하는 그들에게 주문서를 건넨다.

"찢어 봐라."

"네? 하지만 이런 게 무슨 소용."

팟!

작은 빛과 함께 여인의 모습이 사라져 버린다. 나는 고개를 끄덕였다.

“잘 작동하는군.”

이미 몇 번이나 확인한 결과지만 혹시 모를 변수가 없어 다행이다.

‘포션도 그랬지만 소모품은 플레이어가 아니어도 작동한단 말이지.’

덕분에 난 대륙 어디에서든 상대를 스타팅으로 보낼 수 있었다.

물론 귀환 주문서는 원래 이런 아이템이 아니다.

귀환 주문서는 [상대가 마지막으로 도착한 안전지대]로 보내는 아이템이기 때문에 내가 들고 있을 때야 목적지에 스타팅이 쓰여 있어도 상대방에게 넘기는 순간 목적지가 변한다.

상대방이 한 번도 못 간 지역에 보내 주는 그런 편리한 아이템이 아니라는 것이다.

그러나.

지금 이 순간 대륙에 스타팅 말고 다른 [안전지대]가 어디 있겠는가?

그저 문제가 있다면.

‘귀환 주문서가 모자라.’

“로그아웃.”

원룸으로 돌아와 공식 홈페이지와 팬 싸이트를 뒤진다.

귀한 주문서가 많이 드랍되는 지역을 찾기 위함이었지만 결과는 시원치 않다. 애초에 귀환 주문서는 많은 종류의 몬스터에게서 조금씩 드랍되는 아이템이지 특정 몬스터에게서 쏟아지는 아이템이 아니었기 때문이다.

"하. 결국 또 돈이네."

나는 거래소에서 귀환 주문서를 구매했다.

다행히 가격은 그리 비싸지 않았다. 10장 묶음이 거래소 최저가인 10다이아.

즉, 귀환서 1장당 100원이다.

"아, 근데…… 물량이 너무 없네."

아무도 사지 않는 물건인지라 거래소에 올라온 매물이 거의 없었다. 그나마 있는 매물도 인벤토리에 귀환서가 쌓이니 '이거 혹시 팔리나?' 싶어 올린 게 아닐까.

그래도 거래소에 있는 물량을 탈탈 터니 어떻게든 700장 정도 구매할 수 있었다.

사람 수백 명 살리는 데 7만 원이면 싼 편이리라.

"가, 감사합니다! 감사합니다!"

"아빠는 살아 있을까? 영지가 다 파괴되었는데…… 새로 자리 잡은 곳이 살 만하단 말이야?"

"흑흑…… 으헝……."

"아니 그런데 텔레포트라니. 제국의 아티팩트에나 있다는 기능이 어떻게."

감사를 표하는, 불안해하는, 의문을 표하는 모든 여인들을 날려 버린다.

쿠구궁!

그때 멀리서 폭음이 들린다. 전투의 소음. 나는 오크 녀석들이 정신없는 틈에 스카이를 타고 날아올랐다.

펄럭! 펄럭! 펄럭!

스카이가 거세게 날갯짓해 하늘로 날아오른다. 탑승감은 그리 좋지 않다. 특히나 어느 정도 고도에 이르기까지의 날갯짓은 안장이 있어도 튕겨 나갈 수준!

그러나 이미 엔간한 초인을 뛰어넘는 육체 성능을 가진 난 그것을 어렵지 않게 이겨 낼 수 있다.

휘오오!

하늘 높이 올라 선 스카이가 바람을 탄다. 나는 자세를 낮춰 맞바람을 피하며 땅을 내려다보았다.

고도가 상당했기에 드넓게 펼쳐진 산맥과 그 위에서 움직이는 모든 존재들의 움직임이 눈에 들어왔다.

'마수의 수가 많이 줄었다.'

하늘에서 내려다보니 그 사실이 눈에 확 들어온다. 본래라면 짐승형 마수들이 돌아다녀야 할 공간에 수십, 수백 마리의 고블린들이 몰려다닌다.

아마 저 공간에 적이 침입하면 저 무리들이 우르르 뭉쳐 수천의 군세가 되리라.

"진짜 마수 입장에서는 횡액도 이런 횡액이 없겠군."

몬스터는 강하고, 또 떼로 몰려다니는 주제에 죽여 봐야 고기 한 점 떨어지지 않는다.

드랍 템으로 식재료를 떨구는 몬스터가 없는 것은 아니지만 리벤지가 생활 콘텐츠를 주력으로 하는 게임도 아닌데 그런 몬스터가 몇 종이나 되겠는가?

'말 그대로 구색으로 끼워 넣은 정도지.'

내가 다른 곳은 혼자 돌면서 바람막이 고원 쪽에만 병력을 보낸 것이 괜한 게 아니다. 그곳은 무조건 우리가 차지해서 멧돼지 뒷다리를 [생산]하도록 해야 한다.

"크르륵!! 컹컹!!"

"컹컹!"

"늑대다! 늑대다! 쳐 죽이자! 가죽을 벗기자!"

"늑대 타고 싶다! 타고 싶다 늑대! 늑대 못 타나?"

"그러게 못 타나? 덩치들은 막 타던데!"

"꾸이이익!!"

"멧돼지다! 돼지다! 저건 못 타나? 못 타나?"

"늑대보다 낫지 않나? 동족 중에 돼지 타는 녀석들이 있다!"

고도를 슬쩍 낮추자 고블린들에게 털리고 있는 마수들의 모습이 보인다.

'상대가 안 되는군.'

물론 일대일로 하면 고블린 따위 마수의 상대가 되지 않는다. 오크라면 몰라도 1미터 남짓의 신장에 성인 남성 정도의 신체 능력을 가진 고블린이 마수를 이기는 건 불가능할 테니까.

그러나…… 고블린은 기본적으로 수십 단위로 몰려다니며, 조금만 위기를 느껴도 수천 단위로 뭉친다.

제대로 된 병법 따위는 모르지만 녀석들은 하나하나가 광전사나 다름없다. 제 목숨 아까운 줄 모르는 건 물론이고 머리에 피가 몰리면 일단 돌진하고 본다.

만일 녀석들이 정상적인 생명체라면 그따위로 살다가 멸종하겠지만…… 녀석들은 리젠되는 존재가 아니던가?

결국 무시무시한 숫자의 마수들이 몬스터와 충돌해 살해당하고 용맥이나 영맥과도 먼 곳. 그러니까 아르데니아에서 흔히 내지(內地)라고 불리는 선과 선 사이의 공간으로 밀려나고 있다.

마수가 횡행하던 변경에서도 이러니 대륙 중앙부가 어떤 상황일지는 말할 필요도 없다. 머리가 잘려 영주성을 장식하고 있는 늑대왕과 다름없는 신세가 되고 말겠지.

"아, 이제 보이는군."

어느새 동쪽으로 100킬로미터 이동해 시간을 확인했다. 브론즈소드 영지에서 출발한 지 겨우 2시간 10분. 거대 독수리의 비행 속도는 매우 만족스러웠다.

게임에서와 다르게 펫에게 체력이 있어 중간에 한 번 쉬어야 했지만, 이 정도 속도면 [순회 공연]을 진행하기에 부족함이 없다.

"이번에도 고블린 던전인가."

이미 오면서 고블린들을 봤기에 짐작하던 일이다. 그저 붉은 송곳 고블린이 아니라 푸른 망치 고블린이라는 차이가 있을 뿐이다.

팟!

스카이를 탄 채 바로 빛의 기둥으로 진입한다.

[푸른 망치 숲]

분명 하늘 높은 곳에서 진입했음에도 나는 땅 위에 있다. 던전 진입 시 발동하는 [랜덤 텔레포트]. 스카이가 당황해 고개를 휘휘 돌리는 모습이 보인다.

"돌아가."

나는 조용히 스카이의 소환을 취소하고 클래스를 변경했다.

★☆전직 완료☆★

[베리언트 레인저(영웅)]

근력+80 민첩+160 체력+80 생명력+40 마나+40

[사거리 50% 증가]

[어둠의 관측자]

클래스를 변경한 뒤 숲 한편에서 잠시 몸을 숨기고 있

자 곧 내 몸이 반투명해진다. 베리언트 레인저의 직업 특성. [어둠의 관측자]의 효과다.

[중급 은신(패시브)이 발동합니다!]

나는 감각을 예민하게 세운 채 숲 속을 돌아다녔다. 푸른 망치 숲 여기저기 나무를 엮어 만든 집들이 자리하고 있고 무수히 많은 고블린이 숲을 가로질러 어디론가 향하고 있다.

'저기인가.'

한참을 돌아다닌 결과 숲 한곳에 위치한 오두막을 찾아낼 수 있었다.

"흑……. 흑……. 으흑……."

"엄마……."

"러버. 착하지. 울면 안 돼……. 밖에 괴물들이 있단다……."

슬쩍 들여다 본 오두막에 100명 정도의 여인들이 모여 있다.

'좋아. 찾았다.'

바로 보스를 찾아 암살할 수 있음에도 굳이 은신을 하고 던전 안을 돌아다닌 이유가 바로 그녀들 때문이다.

'던전을 클리어하고 공성을 완료하면 해당 성은 [안전지대]가 된다.'

그리고 그렇게 되면 귀환 주문서를 쓸 수가 없다. 목적지가 스타팅이 아닌 새로운 성이 되어 버리기 때문이다.

"모두 조용. 구하러 왔다."

"……!"

"흡……!"

나는 스스로의 입을 틀어막는 여인들에게 접근해 귀환 주문서를 한 장씩 넘겼다.

그리고 나직한 목소리로 설명했다.

"잠시 후 모든 작업을 완료하면 고함을 지를 것이다. 그 소리가 들리면 하나씩 들고 있는 주문서를 찢어. 안전한 곳으로 이동할 수 있을 것이다."

나는 같은 일을 고블린 숲을 돌아다니며 반복했다. 일은 어렵지 않았다. 이런 하위 던전에서 중급 은신을 발견할 몬스터는 존재하지 않았으니까.

그리고 그렇게 모든 여인들을 구했을 때쯤 귀환 주문서가 바닥났다.

"아, 조금만 더 있으면 되는데……."

입을 틀어막고 있는 여인들을 보며 난감한 표정을 지었다. 거래소에 있던 물량은 다 털어 버렸기 때문.

그러나 로그아웃해 거래소에 들어가 보니 새로 올라온 귀환 주문서가 보인다.

"오, 다행이다."

그러나 가격이 문제. 10장 묶음에 10다이아였던 귀환 주문서가 20다이아가 되어 있다.

"뭐…… 사실 아직도 싼 편이긴 하지."

사람 하나를 수백 킬로미터 이동시키는 데 고작 200원이면 싼 편이 아니겠는가?

그게 2배 오른 가격이라는 사실이 가슴 아프지만 어쩔 수 없는 일이겠지.

"자!"

그리고 마침내 모든 여인들에게 귀환 주문서를 나눠 주고 땅을 박찬다.

"모두 나가시오!!"

고함을 지르자 숲 전체가 술렁이기 시작한다. 그리고 동시에.

팟팟팟팟팟!!!!

숲 여기저기에서 빛이 번쩍인다. 여인들이 귀환 주문서를 사용했다는 뜻이다.

[푸른 망치 고블린 요새(일반~희귀)의 헬 난이도가 공략되었습니다!]

[조건을 우선 완료한 길드부터 공성전을 신청할 수 있습니다!]

[초라한 토성(일반)이 등장합니다!]

[축하합니다! 한 길드가 푸른 망치 고블린 요새를 점령했습니다!]

[새로운 성주, 한재연.]

포로들을 구출하고 나니 던전을 클리어하고 공성을 성공하기까지는 30분도 걸리지 않았다. 홉 고블린을 저격. 스카이를 타고 성안에 침입해서 영주성을 차지하니 끝이다.

"다만 문제는…… 이대로 성을 놔두고 가면 어찌 되냐 하는 건가."

칸 슬래셔는 내가 붉은 송곳 고블린 요새를 차지하자마자 성안으로 침입해 들어왔다.

마치 '성'을 노리는 것 같았던 움직임.

"그렇다면…… 성을 한 번 뺏겨 보는 것도 방법이겠지."

적어도 한 번은 겪어야 할 일이었기에 나는 업그레이드 안 한 성을 그대로 나둔 채, 푸른 망치 고블린 요새를 떠난다.

펄럭!

다시 스카이를 타고 동쪽으로 이동한다. 몬스터도 사람도 없이 텅 빈 토성이 삽시간에 멀어진다.

나는 죽죽 밀려 나가는 배경을 보며 감탄했다.

"그나저나 빠르긴 빠르네. 이 정도면 하루 날 잡아 미친 듯이 날면 대륙을 가로지를 정도 아닌가?"

게임 속에서 비행형 펫의 속도는 다른 탑승 펫들의 1.2배에 지나지 않는다. 지형을 무시하고 일직선으로 이동할 수 있는 메리트가 엄청난 것이지 속도 자체가 빠르지는 않다는 것.

그러나 현실은 그렇지 않다.

날갯짓해 하늘을 나는 매가 말과 비슷한 속도라는 건 말이 안 되는 이야기니까.

'물론 게임과 다르게 여기에서는 중간 중간 쉬어 줘야 하고 먹이도 먹어야 한다는 게 문제지만…… 그건 비행 펫이 2마리 이상이면 해결된다. 교대하며 타면 되니까.'

오래 소환하고 있으면 음식도 먹고 잠도 자고 심지어 짝짓기까지 하려 드는 아르데니아의 펫들이지만 소환 취소를 하면 그 모든 생리적 현상을 어느 정도 회복한 채로 등장한다. 심지어 부상을 당해도 소환 취소를 하고 일정 시간이 지나면 원래대로 돌아올 정도.

'다만 죽으면 끝이야.'

마치 몬스터들이 그러하듯 시체는 먼지가 되어 흩어지고 펫은 소환 불가 상태가 된다. 그저 남아 있는 컬렉션만이 펫의 존재를 주장할 뿐이다.

"……응?"

잠시 날다가 영맥이 자리한 도로를 목책으로 가로막고 있던 한 무리의 병사들을 발견한다.

지금껏 봤던 도로와는 다른 분위기다.

"꽤 많군. 천 명은 되겠는데?"

방금 전까지 전쟁을 치르고 있었던 듯 군기가 살벌하기

짝이 없다. 아직도 무장을 풀지 못하고 주변을 둘러보고 있는 모습에, 나는 상황을 깨달았다.

"아! 여기서 고블린들을 막고 있었군!"

그러나 내가 고블린 던전을 차지하고 공성을 클리어하면서 필드에 있던 모든 고블린들이 사라져 버렸다.

아마도 그들은 악을 쓰며 덤비던 몬스터들이 갑자기 사라져 당황하고 있는 것으로 보인다.

"지금까지와는 전혀 다르군. 근처에 온전히 유지되고 있는 인간 세력이 있다는 거지."

나는 스카이를 타고 동쪽으로 계속 날아갔다.

몬스터. 혹은 마수들만 종종 보이던 지금까지와 다르게 땅에서 무리 지어 다니는 사람들의 모습이 늘어가기 시작한다.

그리고 마침내 도시에 도착한다.

바둑판의 최외곽, 바다를 접하고 있는 블루웨일 백작령이다.

"멀쩡하군. 하긴 블루웨일이면 당연한가."

바둑판의 가장자리라고 다 같은 변방이 아니다.

블루웨일(Blue whale) 백작가.

말이 좋아 백작가지 거의 후작이나 공작에 맞먹는 권세를 지닌 가문이다. 달랑 기사 셋 가지고 꼴값을 떨던 레드엑스 남작과 달리 진짜 기사단을 가진 곳이었다.

이미 옛적에 주변의 마수 대부분을 구제(驅除)해 어마

어마한 넓이의 영토와 3만이 넘는 인구를 가진 강대한 가문.

'물론 대륙 안쪽에는 이 정도 가문이 얼마든지 있지.'

그러나 던전에서 오우거나 사이클롭스가 튀어나왔을 그들과 대륙 최외곽에 위치한 블루웨일 백작가의 입장은 전혀 다르다.

최저 레벨의 몬스터는 아무리 로우파워 세계관이라도 충분히 감당할 만한 존재인 것이다.

[들개굴(일반~희귀)]

스카이를 타고 도착한 던전은 이미 백작군에 의해 제압되어 있는 상태다. 영주성을 중심으로 1km 되는 영역이 평지로 변하고 실제로 사상자도 꽤 있었던 듯 여기저기 핏자국이 있었지만 그럼에도 도시 전체는 정상적으로 굴러가고 있다.

과거 우리가 그러했듯 하늘로 솟구쳐 있는 빛의 기둥 주변에는 튼튼해 보이는 목책과 무장한 수백의 병사가 자리하고 있다.

"던전을 클리어하지는 못하고 포위만 하고 있군."

게임에서와 다르게 아르데니아에서는 중립 던전이 던전으로서 기능하지 않는다. 이지~헬 난이도 구분 자체가 사라지고 원래는 필드에 깔려 있어야 할 모든 몬스터가 던전 안에 자리하게 된다.

'어디 보자.'

나는 스카이를 조종해 던전으로 향하며 던전에 대한 특이 사항을 정리했다.

1. 몬스터는 던전을 마음대로 출입할 수 있다.

2. 반면 인간, 플레이어는 던전 진입 시 탈출이 불가능하다.

3. 던전을 클리어 시 공성전으로 변경된다.

즉, 던전을 클리어하기 위해서는 몬스터가 수천수만이 있더라도 단번에 보스를 암살할 만한 강자가 있던지.

아니면 한 번에 수천 이상의 병력을 던전에 쏟아 넣어야 한다.

'하지만 그럴 수는 없겠지.'

한두 명 들여보내 봐도 돌아오는 이가 하나도 없는데 무슨 깡으로 거기에 병사 수천을 집어넣겠는가? 그 안에서 무슨 일이 벌어지는 줄 알고?

나처럼 던전에 대한 지식을 가지고 있거나, 대가리가 병사 수천의 생명쯤 우습게 여기는 미치광이거나, 그것도 아니면 한 명의 아주 강력한 고수가 들어가지 않는 이상 몇 년이 지나도 던전 클리어는 불가능할 것이다.

심지어 붉은 송곳 고블린 던전처럼 마법사 몬스터가 있

다면?

던전에 한 번 들어가면 못 나오는 인간들과 다르게 몬스터들은 얼마든지 왕복할 수 있는 건 물론이고 안에서 밖으로 공격까지 가능하다.

'아마 그 사실을 파악하기까지 많은 사람이 죽게 되겠지. 아주 많은 사람이…….'

쓰게 웃는 순간이었다.

[붉은 송곳 고블린 요새(헬 등급)에서 헌드레드 님이 배리어 완드(희귀)를 획득했습니다!]

"……오! 헌드레드!"

탄성을 내지른다.

기분이 좋아졌다.

아르데니아에서도 희귀급 아이템 획득 공지를 꽤 본 상태이지만 거기에서 아는 이름을 보는 건 또 다른 기분이다.

"게다가 배리어 완드라니."

마법사 아이템에 대해 관심도 없던 나조차 알고 있는 물건이다. 흔히 탈 희귀급으로 불리는 물건!

[배리어 완드(희귀)]

무기 데미지+13

명중+6

지능+15

에너지 배리어 1%.

에너지 배리어는 적에게 가한 데미지만큼 시전자에게 보호막을 만들어 내는 능력이다. 에너지 배리어 1%면 100의 데미지를 가했을 때 1의 실드가 생기는 식.

'당연히…… 쓸모가 엄청나다. 심지어 이건 현실이 되면 더 사기급 옵션 아닌가? 광역 마법을 갈기면 아주 강력한 실드가 생기는 셈이잖아?'

심지어 게임에서도 엔간한 영웅급을 쓰느니 차라리 배리어 완드를 +9강 해서 쓴다는 말이 나올 정도로 쓸 만한 옵션이다.

홉 고블린 녀석 신경도 안 썼는데 이런 귀한 걸 드랍하는 녀석이었다니.

"자식들, 던전 열심히 돌고 있군."

만족스럽게 웃는데 저 아래 있는 병력들이 술렁거리는 소리가 들린다.

고개를 내밀어 보니 병사들이 나를 올려다보며 손가락질하는 모습이 보인다.

"들켰네. 하기야 아무리 높이 날아도 덩치가 있으니."

그러나 그들이 날 인식했든 아니든 상관없었기에 무시하고 던전으로 향한다.

원형의 게이트 형태인 성의 던전과 다르게 중립 던전의 형태는 빛의 기둥.

굳이 땅에 내려서지 않아도 던전에 진입이 가능하다.

팟!

던전 안으로 들어간다.

[들개굴]

"크르르…… 컹컹!"

"컹!"

"월월월!"

분명 날고 있던 난 어느새 땅에 서 있었다. 아니 땅 정도가 아니라 지하로 보이는 컴컴한 장소.

"여기가 들개굴이군."

"으르르…… 컹!"

도사견 한 마리가 침을 질질 흘리며 덤벼들었다.

당연한 말이지만 내 상대가 아니다.

'일일이 잡기도 귀찮다.'

나는 수천 마리가 넘는 들개를 무시하고 달렸다. 살인적인 어깨빵과 무릎치기에 들개들은 덤프트럭에 달려든 고라니처럼 박살 나 흩어진다.

팡!

들개굴의 최심부까지 일직선으로 이동했다. 헬 난이도

들개굴의 보스. 흑견 니토(희귀)를 쳐 죽이기까지는 채 20분도 걸리지 않았다.

[들개굴(일반~희귀)의 헬 난이도가 공략되었습니다!]

[조건을 우선 완료한 길드부터 공성전을 신청할 수 있습니다!]

던전이 클리어 되면 용맥 위에 서 있던 모든 존재가 용맥의 테두리 밖으로 밀려난다. 공간 자체가 밀려나는 방식이기 때문에 항거할 수 없는 현상.

그리고 그렇게 확보된 공간에.

[초라한 토성(일반)이 등장합니다!]

"뭐냐? 지금 무슨 일이 벌어지고 있는 거지?"

"공성? 초라한 토성?"

"지금 우리가 뭐에 밀려난 거야!?"

어느새 나는 혼란스러워하는 기사들 사이에 서 있었다. 던전을 클리어하자 밖으로 쫓겨 나온 것.

나는 저 멀리 보이는 토성의 모습을 보았다.

"컹컹!"

"월월월!"

성벽 위에 개들이 돌아다니고 있다. 그 기세는 제법 살벌하지만…… 고블린도 아니고 개들이 제대로 된 수성을 할 수 있을 리 만무하다.

'그야말로 [공성 튜토리얼]에 걸맞은 모습이군.'

리벤지 초창기 때 외곽 던전들이 그런 이름으로 불렸다는 정보를 본 적이 있었다.

굳이 나 같은 초인이 없어도 엔간한 군대라면 별다른 어려움 없이 공성을 성공할 수 있으리라.

'여기서 문제는 내가 여기 성을 먹고 떠난 뒤 다른 사람이 공성전을 신청하는 것이겠지.'

하지만 그런 게 가능할까?

공성전 자체야 어려울 게 없다. 연약한 성문을 부수고 별로 높지도 않은 흙벽을 넘어서 영주성의 옥좌를 터치하기만 하면 되니까.

그러나…… 옥좌를 터치해 성의 소유권을 얻을 수 있는 것은 플레이어. 그중에서도 공성전을 신청한 길드의 마스터뿐이다.

'지금 이 조건을 클리어하는 인간이 있을 리 없지.'

내가 이끄는 병사가 아닌 이상 클래스를 어떻게 얻을 수 있겠는가?

또 길드를 창설할 골드는 어디에서 얻고?

혹여 그 모든 조건을 클리어하더라도 공성 신청은 공성 5일 전에 해야 하니 내가 방어하러 오는 것도 가능하리라.

스릉.

그때 한 자루의 레이피어가 내 목을 겨눈다. 손가락보다 얇은 검신에서 날카로운 기세가 느껴진다.

"뭐냐, 너. 아까 그 이상한 새에 타고 있던 그 녀석이지?"

내게 레이피어를 겨눈 이는 여성이다. 남초 문화가 뿌리 깊은 아르데니아에서는 보기 드문 여기사.

심지어 내가 아는 녀석이다.

"헤이즈 스타라이트."

"……한? 너 한이야?"

내 목소리를 듣고 놀란 표정을 짓는 그녀는 여장부(女丈夫)라는 단어를 형상화한 듯한 여인이다.

'여전히 큼직한 녀석이군.'

모든 게 크다. 185센티미터의 신장은 엔간한 남성들도 내려다 볼 정도이고 떡 벌어진 어깨는 수영선수를 연상케 한다. 거기에 그렇게 큰 몸에 빈틈없이 들어찬 근육, 거칠고 큰 손까지.

말만 들으면 무시무시한 느낌이지만 시원시원 미끄러운 외모와 무시무시한 사이즈의 가슴 때문에 남자로 오해받는 일은 절대 없다.

지금이야 나이를 먹어 중년의 여인이 되었지만 젊은 날에 그녀는 크롬 왕국 모든 기사들을 잠 못 이루게 하던 절벽 위의 꽃이었다. 내가 그녀와 좀 친하게 지낸다고 결투를 건 머저리 기사가 서른이 넘을 정도니 더 말해 무엇하겠는가?

"10년 만이네."

인벤토리를 조작해 헬멧을 제거한다. 내 얼굴이 드러나자 주변에 있던 기사들이 깜짝 놀라 소리친다.

"늑대 기사!"

"흑사자!"

"천한 산적 놈이 여기가 어디라고……!"

주변에 있던 기사들이 으르렁거렸지만 헤이즈가 한 손을 들자 모두 입을 다물었다. 중세 랜드에서 여기사가 어떻게 이런 장악력을 가지고 있나 의아해 할 수도 있지만 사실 당연한 일이다.

그녀야말로 성검 스텔라의 주인이며 기사대전의 챔피언.

크롬 왕국 최강의 기사.

결투기사(決鬪騎士)였으니까.

"너, 와 이런."

그리고 그런 그녀가 나를 보며 기막혀 한다.

"아니, 너 왜 안 늙는 거야? 아직도 20대로 보이잖아? 미친 거 아니야?"

"뭘, 너도 그대로인데."

"그대로? 이 자식이 어따 대고 아부질이야? 눈가에 주름이 자글자글하거든?"

주먹을 휘휘 휘두르는 그녀의 모습에 피식 웃는다. 나이가 마흔이 넘은 주제에 꽤 귀여웠다.

"뭐, 잡담은 나중에 하고…… 네가 여기 있는 건 꽤 뜻밖이네. 지마일은 무너진 건가?"

"그래. 머리 위에 아이스 엘리멘탈이라고 쓰여 있는 괴물들을 이겨 내지 못했지. 그리고 무엇보다."

"그만! 헤이즈! 어디까지 이야기할 생각이냐!"

호통과 함께 기사 하나가 앞으로 나선다. 고급스럽게 마감된 전신 갑주를 걸친 이십대 중반의 녀석은 나를 손가락으로 가리키고 말했다.

"너…… 대체 정체가 뭐냐. 괴물이 쏟아져 나오는 빛의 기둥을 어떻게 없애 버린 거지? 그 커다란 새는 뭐냐? 그리고……."

나는 녀석에게서 고개를 돌려 헤이즈를 바라보았다.

"왕도 여기까지 도망친 모양이네."

"뭣!? 네놈! 이 건방진!"

애송이 녀석이 검을 휘둘렀다. 위협이 아니다. 명확히 살의를 담아 휘두른 검격!

턱.

엄지와 검지로 잡아 낸다. 전투 예지조차 필요 없다.

"뭐라고!?"

"이게 무슨……."

주변에 있던 기사들이 깜짝 놀라 술렁이는 모습이 보인다.

그러나 그들이 아무리 놀라도 검을 잡힌 당사자만큼 놀

랄 수는 없으리라.

"이, 이게 무슨! 이, 이익……!"

두 손으로 검을 잡고서 용을 쓰지만 검은 바위에 낀 것처럼 미동도 하지 않는다.

풀 세트를 맞춘 내 근력은 오우거에 맞먹으니 오러로 신체를 강화할 수 있다 하더라도 힘으로는 도저히 상대가 안 된다.

"너, 이 새끼……!"

우우웅!

내가 잡고 있던 검에 은은한 기운이 들어차기 시작한다. 내공 주입으로 상황을 해결하려 드는 모양이 있지만.

'등신.'

내공 주입이 검의 내구도와 예리함을 강화시키는 건 사실이지만 결국 그뿐이다. 차라리 검을 놓거나 육체 강화에 더 집중해야지 내공 주입이라니.

"눈치가 없는 놈이군."

검을 잡은 두 손가락을 확 당기자 녀석이 끌려 온다. 주변의 다른 녀석들이 반응하기 전에, 나는 오른손을 들었다.

"그럼 맞아야지."

퍽!

뺨을 친다. 녀석의 전신 갑주가 번뜩이며 보호 마법이 발동했지만, 이 중세 랜드의 마법으로 내 괴력을 막을 수는 없다.

"너! 너 감히! 내가 누구인 줄……."

퍽!

"헤이즈! 왜 지켜만 보고 있는……."

퍽!

"그, 그만! 너 이 새……."

퍽!

친다. 다시 친다. 주변을 포위하고 있는 기사들은 감히 덤벼들 생각조차 하지 못한다. 내가 손에 힘을 조금만 더 줘도 녀석이 죽을 것이란 사실을 알았기 때문이리라.

퍽! 탱그랑!

검을 놓친 녀석이 바닥을 구른다. 나는 쓰러진 사내의 얼굴을 들여다보았다.

날 보는 녀석의 눈에 공포가 깃들어 있다.

"사…… 살려 줘…… 내가…… 내가 잘못……."

기억에 있는 얼굴이다. 크롬 왕국의 3왕자 오닉스 크롬.

검에 대한 재능과 더러운 성격으로 유명한 녀석이다.

"정보 교환 좀 할까?"

"강해졌구나. 너…… 아니면 실력을 숨기고 있던 건가? 좀 그런 느낌이 있긴 했지."

"실력을 숨기긴 무슨."

피식 웃는 내 앞에 마주 선 헤이즈가 슬쩍 고갯짓하자,

눈치를 보던 기사들이 슬그머니 다가와 오닉스를 들고 빠진다.

나는 그러거나 말거나 간략히 설명했다.

“대륙의 모든 용맥에서 괴물들이 쏟아져 나왔다는 건 이미 알고 있겠지. 괴물들은 내륙으로 갈수록 강하고 그 힘은 인간들이 감히 감당할 수 없을 정도다.”

나는 헤이즈에게 게임의 설정들을 간략하게나마 설명해 주었다.

등장하는 몬스터의 종류와 위치, 던전 클리어 방법.

그리고 던전을 클리어하면 모습을 드러내는 성과, 인류가 새로이 얻을 수 있는 힘, 클래스까지.

‘마냥 숨길 일이 아니지. 지금은 인간보다 몬스터가 문제니까.’

물론 알려만 주는 것이지 뭔가를 지원해 줄 생각은 없다.

내 병사들 뒷바라지만 해도 등골이 휠 정도다.

“너는…… 이런 정보를 어떻게 아는 거지?”

헤이즈의 물음에 잠시 그녀와의 과거를 회상했다.

내가 그녀를 만난 것은 지금으로부터 17년 전이었다. 산적질만으로는 산채를 유지할 수 없다는 사실을 깨닫고 용병단을 만들어 의뢰를 받기 시작할 때 즈음.

정략결혼을 하는 건 어쩔 수 없지만 그 전에 세상 구경을 하겠다며 가출했던 말괄량이 귀족 아가씨는 애송이

용병대장을 만나 2년이나 대륙을 쏘다녔다.

"내가 예전에 했던 말 기억나? 야만인이라니 이……."

"이 미개한 새끼들이 누구보고 야만인이래…… 그거?"

그녀의 대답에 씩 웃어 준다. 그녀는 내가 이 중세 랜드에 와서 만난 귀족 중 유일하게 차별의 시선 없이 날 봐준 이었다. 누구보다 강하고 자유로웠던, 그러면서도 스스로의 의무에서 도망치지 않던 여자.

운명의 갈림길에서 서로 갈 길을 가게 되었지만 이 중세 랜드에서 나에 대해 가장 많이 아는 존재가 있다면 바로 그녀일 것이다.

"그래. 그거야."

"그거라니……."

이해하지 못한 듯 멍한 표정의 그녀를 두고 하늘을 올려다본다. 적당한 높이에서 활공하고 있는 스카이가 보인다.

"레드엑스 남작령이 무너진 자리에 성을 세웠다. 사람을 받아들이고 군대를 단련시키는 중이지. 문제가 생기거나 도망쳐야 할 일이 있으면 참고해."

"……가려고?"

"가야지. 그럼 여기에서 그 머저리 털보 놈 얼굴까지 보겠어?"

피식 웃는 내 모습에 기사들이 발끈한다.

"이, 이 불충한! 아무리 야만인 놈이라지만 감히 폐하께……!"

"이 난장을 치고 가긴 어디 간단 말이냐!"

"포위해! 녀석이 아무리 강해도 여기에 기사가 몇인데……!"

좌좌좡!

십수 개의 검이 나를 겨눈다. 살을 찌를 듯한 살기가 느껴졌지만 우스울 뿐이다.

오크 전사나 겨우 잡을 것들이 어디다 검을 겨눈단 말인가?

〈검기 발현〉

확신의 검(고급)+9에 검기가 맺힌다. 그리고 빛살처럼 휘둘러진다.

카가각!

십수 개의 검날이 하늘로 날아올랐다 그대로 떨어진다. 머리 위로 떨어지는 검날에 깜짝 놀란 기사들이 사방으로 흩어졌다.

따라랑! 땅!

"……."

"이게, 무슨……."

"오러 블레이드…… 소드 마스터?"

"미친 소리! 그건 전설이야!"

기겁하는 기사들을 무시하고 헤이즈를 돌아본다.

"조만간 또 보게 될 거야."

"자, 잠깐. 한. 기다……."

쾅!

땅을 박차 하늘로 솟구친다. 단 한 걸음에 수십 미터나 뛰어오르자 하늘을 날고 있던 스카이가 날 받아 낸다.

나는 그대로 스카이를 몰아 성으로 쳐들어갔다.

[축하합니다! 한 길드가 들개굴을 점령했습니다!]

[새로운 성주. 한재연.]

삽시간에 공성을 마치고 다시 날아오른다.

'오늘 내로 성 5개 더 먹는다!'

아직도, 고작 점심일 뿐이었다.

명상을 시작해 내면 깊숙한 곳으로 잠겨 들어간다.

"……좋아. 적용되었어."

나는 3일에 거쳐 7개의 던전을 추가로 클리어했다.

[찬바람 해변], [피난자들의 숲], [침엽수림], [바람총 고블린 요새] 등등.

그 결과 우상귀에 있는 착점들은 대부분 내 손에 들어왔다. 화점과 화점 주위에 있는, 그러니까 영웅급 보스가 있는 던전들을 제외하고는 그렇다는 말이다.

"뭐 그래 봐야 실질적으로 지배하고 있는 성은 스타팅 한 개지. 소드맨이 데리고 간 병력이 바람막이 고원에 도착하면 둘이 되려나?"

나머지 던전들은 블루웨일 백작령에서 그랬듯 성 소유권만 가지고 버려두었다.

최외곽 던전들은 해당 영지를 지배하던 귀족이 멀쩡히 살아 있었기 때문이고, 박살 난 영지들을 급하게 먹어 봐야 인력만 낭비된다는 사실을 알고 있기 때문이다.

'내실을 다지는 게 먼저다. 힘을 기르고 나면 주변 땅을 먹는 건 어렵지 않아.'

나는 1층의 창문에 서서 7개의 빛기둥을 바라보았다.

만족스러운 광경이지만 문제가 있다.

"성을 7개나 먹었는데 여전히 1층이라니."

공성전에 승리해 스타팅을 차지했을 때 나는 제 3문, 거문을 열 수 있었다.

고작 1층 수련자가 3문을 여는 게 불가능한 일은 아니어도 많은 준비와 장기적인 손상을 각오해야 한다는 걸 감안하면 내 성에 [보정]이 있다는 것 자체는 의심할 여지가 없는 일.

하지만 성이 1개일 때도 그만한 보정을 더해 준 주제에 7개일 때는 별 차이가 없다니?

"로그아웃."

나는 지구와 아르데니아를 오가며 능력을 테스트했다.

그리고 그 결과 몇 가지 유의미한 결과를 얻을 수 있었다.

'그렇군. 착점들은 보정, 혹은 보조의 힘이야. 지금까지

는 [무량구층] 자체를 보조해 열 수 있는 문의 한계치를 올렸던 거지.'

영웅급 아이템을 소환할 수 없다. 성을 추가로 먹은 것은 보조의 [용량]을 변화시켰을 뿐 [격]을 강화시키지는 못했던 것이다.

더 많은 희귀급 아이템을 소환할 수는 있지만 더 높은 등급의 아이템을 소환하는 것은 불가능하다는 뜻.

"……잠깐."

그런데 문득 떠오르는 아이디어가 있었다.

나는 창가에 섰다.

저 멀리 거대한 대륙이 보인다.

'그러나 이미지일 뿐이야.'

저기에 대륙이 있다고 내가 높은 곳에서 땅을 내려 보고 있는 것이 아니다.

만약 그랬다면 나는 이곳에 서서 아르데니아의 상황을 거시적으로 살필 수 있었을 테니까.

깜빡.

그리고 저것이.

깜빡.

그저 내 이미지라면…….

깜빡.

눈을 감았다 뜰 때마다 저 멀리 보이던 대륙의 모습이 점점 가까워진다.

탕!

거친 소리와 함께 창문이 사라진다. 그리고 창문이 사라진 벽에 커다란 바둑판이 생겨났다.

딱!

우상귀 3-3의 한 칸 위에 위치한 착점. 좌표로 표시하면 R18에 백돌이 놓여진다.

내가 처음으로 차지한 성. 스타팅이다.

딱!

S17. 푸른 망치 요새.

딱!

T17. 들개굴.

딱! 딱! 딱!

내가 차지한 땅들에 차례대로 바둑돌이 내려앉는다.

"이게 내가 차지한 땅의 이미지…… 응?"

딱!

다 끝났다고 생각한 순간 우상귀 3-3. 브론즈소드 남작령에 뭔가가 내려선다.

그런데 바둑돌이 아니다.

"아니 미친…… 왜 말이 내려서? 이게 체스인 줄 알아?"

기물(Chess Piece)과 닮은 그것의 정체를 파악하기는 어렵지 않다. 검을 든 오크의 형상을 하고 있었기 때문이다.

“칸 슬래셔.”

바둑판 위에 바둑돌과 기물이 공존하는 상황.

그러나 그 사실에 황당해 할 틈도 없다.

딱! 딱! 딱!

딱! 딱! 딱! 딱! 딱!

딱! 딱! 딱! 딱! 딱! 딱! 딱! 딱!

바둑판 전체에 말들이 쏟아져 내린다.

“이, 건.”

어느새 바둑판이 빼곡히 차 버린다.

수십 종이 넘는 몬스터의 형상을 하고 있는 기물들은 살아 있기라도 한 듯 생생했는데, 심지어 그것들은 단순한 던전 정보가 아니었다.

“……이건.”

화점에만 있어야 할 얼음 여왕의 기물이 화점의 동서남북에도 하나씩 자리하고 있다.

화점의 몬스터가 주변의 던전을 점령했다는 말이다.

“역시 그런가.”

어느 정도 짐작했던 일이다.

목적이 없다면 아이스 엘리멘탈들이 굳이 그 먼 곳까지 쳐들어오지 않았을 테니까.

하지만 그 ‘점령’이라는 게 말이 새로 놓일 정도라는 건 나로서도 예상치 못하던 일이다.

“점령을 당하면 해당 던전의 몬스터가 복속당하는 건

가? 아냐. 그랬다면 쳐들어온 아이스 엘리멘탈 사이사이에 다른 몬스터가 있었겠지. 어쩌면…… 점령과 동시에 리젠 몬스터가 변경될 수도 있겠군."

당장은 칸 슬래셔가 올라오지 못해 좋지만, 상황이 꼬이면 아이스 엘리멘탈들이 몰려올 수도 있다는 뜻이리라.

"뭐 하여튼."

나는 고개를 흔들어 뜻밖의 정보를 떨쳐 내고 원래 하려던 걸 했다.

슥.

1층에 위치한 요소. [신체]를 집어 든다.

최초의 신체는 작은 마네킹에 가까운 크기를 가지고 있었지만 내가 의식하자 점점 그 크기가 줄어 손톱만 한 크기가 되었다.

그리고 나는 그것을.

팟!

스타팅에, 정확히는 거기에 위치한 백돌에 넣었다.

[신체]가 바둑돌에 들어가자, 절반쯤 차 있던 1층이 단번에 넉넉해지는 것이 느껴진다.

"됐다……!"

차크라 수련자가 열 수 있는 [요소]의 수에는 한계가 있다.

[무기]도 열고 [검]도 열고 [방패]도 열고 [총]도 열

고…… 불가능한 일은 아니지만 그것들 하나하나가 층 안에서 일종의 [용량]을 차지하는 것이다.

'내가 신체 하나만 열고 있는 이유기도 하지.'

요소를 여는 것은 신중히 선택해야 할 문제다.

자신에게 잘 맞는, 꼭 필요한, 평생을 두고 파고들 수 있는 요소를 궁구(窮究)하는 것은 차크라 수련자들의 업이라 할 수 있겠지.

'물론, 그 업을 이겨 낼 방법이 전혀 없는 것은 아니다.'

무량구층의 경지가 높아지면 차크라의 용량 자체가 늘어난다. 그리고 현기팔문의 깊이가 깊어지면 해당 요소가 차지하는 용량이 작아진다.

'나에게는 아르데니아가 그렇지.'

이미 천문(天門)까지 열려 있는 완성된 소우주.

그 거대한 세계는 그렇게 거대하기 때문에 오히려 무량구층에 아무런 부담을 주지 않는다. 오롯이 스스로 존재하기 때문이다.

차크라 수련자들이 하나의 요소를 충분히 수련한 뒤 새로운 요소의 문을 여는 게 바로 그러한 이유였다.

"좋아. 이렇게 되면 요소를 잔뜩 늘릴 수 있겠는데? 로그아웃!"

내면세계에서 한 번에 지구로 나가 버린다.

접속기에 들어가 소향에게 새로 열 요소에 대한 상담을 받기 위한 이동!

그러나 막 접속기에 들어가려던 움직임이 멎는다.

[레벨 업!]

모니터 속 캐릭터가 빛 무리에 휩싸인다.

[메인퀘스트 -군단의 이름으로-가 진행 가능으로 변경되었습니다!]

"와. 또 나온다. 이제 40레벨이야?"

아무리 저렙존에서 머물렀다지만 몇 달 내내 사냥만 했는데 이제 40레벨이라니.

나는 푸쉬로 받은 음식 아이템을 먹고 몇 번 했던 대로 퀘스트를 진행했다.

그러니까 퀘스트 목록을 클릭클릭 했다는 말이다.

다인 : 사악한 얼음 꽃이 성서를 강탈했어! 놈을 150마리만 잡아 줄래?

퍼시발 : 성서의 힘을 회복해야 하네. 아이스 엘리멘탈 400마리만 잡아 줘!

드로바 : 성법을 발휘할 마력이 부족하네! 아이스 골렘의 심장 300개를…….

불쌍한 킬리언스가 포션을 처묵처묵하며 몬스터들을 잡아 간다. 퀘스트 진행을 위해 도시에 몇 번이나 들렀음은 물론이다.

그리고 그렇게 퀘스트를 수행하는 내 눈에 춤을 추고 있는 플레이어들이 보인다.

[뛰뛰빵빵 형님 드래곤 나이트(전설) 확업 득 기원의 춤]

"저거 맨날 있네."

심지어 이번에도 방송이 켜져 있다.

본인 돈 허공에 날리는 게 뭐 그리 자랑이라고 온 동네에 광고하는지 모르겠다.

[진짜, 진짜 이번엔…… 갑니다…… 악!! 시발 진짜! 네메시스 쌍것들아! 이게 말이 돼!? 확률 조작 아니야!?]

분노하는 사내의 오른쪽 위에 [누적 소모 480,000다이아. 현재 무과금.] 라는 글자가 쓰여 있다.

5천만 원 정도 썼고 얻은 게 별로 없다는 소리다.

"살벌하구만."

저 모습을 보니 게임 초반에 검성을 뽑겠다던 내 기대가 얼마나 허황된 것이었는지 알겠다.

[-군단의 이름으로-를 완료하셨습니다!]
[상급 클래스 소환권(퀘스트)을 획득하셨습니다!]
[150만 골드를 획득했습니다!]
[크리스탈 블레이드(희귀)를 획득했습니다!]
[크리스탈 링(희귀)을 획득했습니다!]
[그레이트 소울(희귀)을 획득했습니다!]

퀘스트 아이템.

얼어붙은 성서(전설)를 NPC에게 가져다주자 과연 메인퀘스트다운 빵빵한 보상이 주어진다.

[아! 떴습니다…… 하…… 정말 상처뿐인 승리네요…… 하…… 그래도 드래곤 나이트 조으다…… 흑흑…….]

중앙 광장을 보니 전설 카드를 보며 허탈해하는 사내의 모습이 보인다. 뜨긴 떴지만 이미 너무 많은 돈을 써서 손해인 상황인 모양이다.

"운이 없었구만."

나는 혀를 차며 처음으로 얻은 상급 클래스 소환권을 잡아들었다.

그러자 경고창이 떴다.

[퀘스트 보상입니다!]

[영웅등급 소환 확률이 증가하고 전설 등급 소환 확률이 감소합니다. 신화 등급 소환 확률이 매우 감소합니다.]

"영웅급이나 먹으라는 말인가? 뭐 영웅급만 나와도 감사하긴 하지."

영웅 확률이 높다니 맘 같아서는 아르데니아로 넘기고 싶었지만 삭제 불가 아이템인 퀘스트 보상은 아르데니아에서 꺼낼 수가 없다.

"뭐, 게임 캐릭터도 최소한의 전투력은 필요하니…… 아니 근데 이래 놓고 일반 고급 뜨는 거 아냐?"

투덜거리며 카드를 하늘로 던진다.

칭!

카드가 하늘을 난다. 여신상의 장난스런 얼굴이 스쳐 지나간다.

그리고.

"……?"

잠시 기다리다 의문을 표한다.

카드가.

떨어지지 않는다.

쿠르릉…….

쿵! 쿵! 콰릉!

난데없이 성 위로 먹구름이 몰려온다.

춤을 추고 있던 플레이어들이 일시에 움직임을 멈추고

채팅이 정신없이 올라오기 시작한다.

뛰뛰빵빵 : 어? 어어? 어어어?? 이 먹구름 설마?

일성의노예 : 이거 그거 아니에요? 말로만 들었는데……

암거나 해 : 리얼임? 실화임? 진짜임? 현실임?

도곡동여신 : 내가 이걸 라이브로 보게 되다니 영광 ㅠㅠ 내가 이걸 라이브로 보게 되다니 영광 ㅠㅠ 내가 이걸 라이브로 보게 되다니 영광 ㅠㅠ

플레이어들이 사방을 뛰어다닌다.

나는 멍하니 그 모습을 보다가 고개를 들었다.

언제나 장난스러운 미소를 보이던 여신상이 입을 떡 벌리고 있었다.

[이…….]

"아니, 저거 말도 해?"

내가 황당해하거나 말거나 그녀가 말한다.

[이럴 수가…….]

그리고 그와 함께.

뎅…… 뎅…… 뎅……!

난데없이 웅장한 종소리가 울려 퍼지더니, 먹구름이 갈라지며 도시에 빛이 쏟아진다.

팟! 팟! 팟! 팟! 팟! 팟!

중앙 광장에 수백 명 있던 게 다였던 성이 갑자기 텔레포트해 오는 수천 명의 플레이어들로 발 디딜 틈 없이 꽉 차 버린다.

일성의노예 : 앗! 저기 저 사람 아니에요? 저 오라 [얼음 성서의 수호]잖아요.

누군가의 말에 플레이어들이 우르르 몰려든다.

그리고 내 캐릭터를 둘러싸고 떠들었다.

뛰뛰빵빵 : 아니 잠깐 아이디가 초록색이야. 지금 클래스가 고급인데?

방탄중년 : 장비들이…… 일반…… 고급…… 설마 무과금이라고……?

일성의노예 : 아니 그게 문제가 아니고!? [얼음 성서의 수호] 버프가 있다니까요? 지금 막 40렙 메인 퀘스트 깬 거 아니에요?

뛰뛰빵빵 : 퀘스트용…… 상급…… 클래스…… 소환권…… 진심임?

도곡동여신 : 와. 세상이 아무리 될놈될이어도 그렇

지…… 이건……

정신없이 올라가는 채팅들.

말을 거는 것은 그들뿐이 아니었다.

킬더킹퀸 : 님! 님 길드 가입하셨어요? 저희 킬더킹 길드는……

정찰거래 : 계정 삽니다! 시크릿윈도우에서 정찰거래로 톡 주세요~!

알랑가TV : 안녕하세요! 알랑가입니다! 혹시 인터뷰 가능하신가요!?

정신없이 올라가는 채팅에 멍하니 서 있는데 하늘을 뒤덮고 있던 먹구름이 갈라지며 장엄한 목소리가 울려 퍼진다.

–마침내 초월의 경지에 올라 인간의 몸으로 하늘에 오르나니.

–신이여. 용서하소서.

점점 더 강해지는 빛과 함께 먹구름이 모조리 사라져 간다.

[모두 칭송하십시오. 9번째 신화가 지금 이 자리에 탄생하였습니다.]

[그의 이름은 킬리언스.]

[지금 이 시간 부로 24시간 동안 모든 사냥터에 경험치 100퍼센트 버프가 주어집니다.]

[다시 한번 안내 드립니다. 9번째 신화가 지금 이 자리에 탄생하였습니다.]

웅장한 월드 메시지와 함께-.

번쩍!

오색으로 빛나는 무언가가.

내 앞으로 내려 꽂혔다.

* * *

긴급회의가 열렸다.

권 부장은 수군거리는 직원들을 살펴보다 입을 열었다.

"상황은 다 알고 있겠지?"

"네, 인터넷 커뮤니티가 난리가 났군요. 심지어 기사도 1,200건 이상 나갔습니다. 무과금의 기적, 뭐 이런 제목들이지요."

"와, 근데 진짜 이거 버그나 조작 아니죠? 운영진에서도 신화 클래스는 사장님 거 하나뿐인데 어떻게 무과금이…….”

신 대리의 말에 가만히 회의실 한편에 서 있던 양 사원이 말한다.

“무과금 아닙니다.”

“엥? 그 사람 장비하고 컬렉션 이미 확인했는데. 과금을 했어도 10만 원 안쪽 아니야?”

“누적 과금액이 1억에 가깝습니다.”

“뭐?”

“엥? 진짜?”

“어라? 무과금이라면서? 이미 장비하고 컬렉션 같은 것들 인터넷에 다 돌던데?”

리벤지는 타인의 장비와 컬렉션 수집 내역 등을 언제나 확인할 수 있는 게임이다. 전용 사이트가 있기 때문에 아이디만 치면 관련 정보가 주르륵 나오는 것.

원래는 이런 시스템이 아니었지만 해킹 계정이나 버그 플레이 등이 생기는 경우가 있었기 때문에 운영 3년 차에 모두 공개로 바뀌었다.

개발사의 슈퍼 계정 논란이 끊이지 않아 내린 결단의 결과물이기도 하다.

“여기 논란의 플레이어. [킬리언스]의 과금 내역입니다.”

양 사원의 말과 함께 한쪽 벽이 디스플레이로 변해 관련 자료를 늘어놓는다. 회의실에 있던 개발자와 운영자들은 신중한 눈으로 그것을 살폈다.

그리고 잠시 후.

"아니…… 이게 뭐야."

"미친놈인가?"

그곳에는 한재연이 지금껏 리벤지에 얼마나 돈을 썼는지, 그리고 그렇게 돈을 써 얻은 결과물을 어떻게 했는지에 대한 결과물이 나와 있다.

★☆아르데니아 정착 패키지☆★를 구매하셨습니다!

★☆아르데니아 정착 패키지☆★를 삭제하시겠습니까?

-〉 YES

★☆그랜드 마스터 패키지☆★를 구매하셨습니다!

★☆그랜드 마스터 패키지☆★를 삭제하시겠습니까?

-〉 YES

★☆클래스 소환권☆★을 100장 구매하셨습니다!

★☆클래스 소환권☆★을 100장을 삭제하시겠습니까?

-〉 YES

★☆4,000다이아 상자☆★를 10개 구매하셨습니다!

★☆4,000다이아 상자☆★를 10개 삭제하시겠습니까?

-〉 YES

권 부장은 결제 내역을 천천히 살펴보았다. 이미 구두로 보고 받긴 했지만 다시 봐도 기가 막힌 내용이다. 절대 적지 않은 돈을 과금하고, 잠시도 인벤토리에 놔두지 않고 죄다 삭제하고 있다.

'돈이 썩어 나는 부자인가?'

아니 부자면 부자지 굳이 이런 식으로 과금할 리가 없다. 리벤지 같은 게임에서 과금을 왜 하는가? 남들에게 과시하기 위해서가 아닌가?

그런데 억 단위로 과금하고 그걸 다 삭제해 버린다니.

'아니, 그건 지금 중요한 게 아니군.'

그는 고개를 흔들어 잡념을 떨치고 입을 열었다.

"오 대리."

"네, 부장님."

"내 기억에 누군가 퀘스트 상급 클래스 소환권으로 신화를 뽑는 건 리벤지가 34지구를 넘어 레온하르트 제국 전체에서 1등을 했을 때 즈음일 거라고 자네가 이야기했던 것 같은데. 확률이 아마……."

"38조분의 1이라고 했었지요."

"……그래. 그렇게 이야기했었지. 지금 설마 이 확률이 터진 건가?"

권 부장은 자기도 모르게 헛웃음을 지었다. 아무리 확률이 가능성의 학문이라지만 말이 안 되는 소리다.

38조의 1이라니?

리벤지가 아무리 인기 게임이라고 해도 퀘스트 상급 클래스 소환권이 그만큼 사용되려면 100년은 더 서비스해야 하리라.
"아뇨."
그런데 오 대리가 뜻밖의 말을 했다.
"100분의 1이었습니다."
"……뭐?"
지금껏 여유 넘치던 직원들의 얼굴이 돌처럼 딱딱하게 굳는다.
"진심? 아니 리얼? 진짜로 확률에 조작이 있었어? 권 대리! 시스템 보안을 어떻게 한 거야?"
"엑? 아닙니다! 안 뚫렸어요! 완전 멀쩡한데 무슨 말씀을 하시는 거예요?"
회의실에 잠시 소란이 인다. 오 대리는 잠시 그 모습을 바라보다 말했다.
"진정하십시오. 버그나 해킹은 아니었습니다."
"아니 그게 무슨 소리야. 버그나 해킹이 아닌데 어떻게 확률에 조작이 생기나?"
"변동 확률이 있지 않습니까?"
"무슨 미친 소…… 어?"
"변동 확률이라니 무슨 음모론 같은 소…… 어?"
회의실이 침묵에 잠겼다. 직원들 모두 멍한 표정으로 생각에 잠긴다.
"변동…… 확률……."
"엑? 잠깐만. 저 플레이어…… 아이템을 죄다 삭

제…… 아! 설마!?"

"이런 미친!"

지금 이곳에 앉아 있는 이들은 리벤지의 개발자이자 운영자들이다. 즉, 과금 게임의 전문가라는 소리.

그들은 이내 오 대리의 말이 무슨 뜻인지 깨달았다.

"천장!?"

"천장! 아, 그래! 천장이 있구나!"

"아니 미친!? 어떻게 이런 일이!?"

"설마 이거 노린 거야? 아, 아니 말이 안 되잖아? 그래봐야 100분의 1이야! 안 뜨면 다시 제로 아닌가?"

"세상에!"

리벤지 같은 과금 게임에는 [변동 확률]이라는 것이 존재한다. 과금이나 뽑기를 했을 때 특정 조건에 따라 확률이 변동하는 시스템을 말한다.

물론 이건 대부분 안 좋은 의미로 쓰이고 걸리면 유저들이 게임 전체를 뒤집어엎어 버릴 정도로 난리가 난다. 이런 문제가 터져서 게임 자체가 망해 버린 케이스가 몇 건이나 존재할 정도니까.

그러나…… 변동 확률 중에는 플레이어들도 용서하고 게임사도 미리 공지하는 경우가 몇 가지 존재한다.

예를 들어 첫 뽑기를 진행하면 표시된 확률보다 조금 더 높은 확률로 적용된다거나 특정 이벤트 때 특정 캐릭터의 확률이 올라간다거나 하는 일들이 그러하다.

그리고 무엇보다.

[천장]이 있다.

"맙소사."

천장이란 부분 유료화 게임, 그중에서도 가챠나 랜덤 박스류의 뽑기 위주의 수익 구조를 가진 게임들이 많이들 사용하는 일종의 안전선이다.

뽑기는 결국 확률이고 확률의 세계에서는 가끔 말도 안 되는 일이 벌어지는데, 그 상황을 방지하기 위해 만들어진 것이다.

만약 누군가 아주 아주 운이 없었고 그래서 전설 클래스를 뽑기 위해 10억을 부었는데도 안 나온다면 어떻게 될까?

'확률의 세계에서는 가능한 일입니다.'

그런 말 한마디로 넘어갈 상황이 아니다. 플레이어는 결국 고객이고 이런 일을 당하면 그 고객은 분노를 참지 못하고 게임을 접게 된다. 당장이야 수익이 좀 더 나올 수 있어도 장기적으로는 회사가 손해를 보는 셈!

때문에 게임사들은 플레이어의 [꽝]이 일정 금액을 넘어서면 확정적으로 어떤 보상을 준다거나 [꽝이 나올 때마다 성공 확률이 점점 높아지는] 시스템을 집어넣는데, 이게 과금의 한계치를 지정한다는 의미에서 천장이라는 속어로 정착되었다.

"모두들 시스템 내부에 존재하는 천장의 기준 금액을 알고 계시겠지요?"

"1억……."

"정확히는 1억 원에 해당하는 다이아이니 1억 원은 되지 않겠지요. 최초 결제나 패키지, 이벤트 결제 등이 있으니……. 어쨌든 중요한 건 저 킬리언스라는 플레이어는 리벤지에 100만 다이아 넘게 사용했고, 그 결과 아무것도 얻지 못했다는 겁니다."

"그래서, 변동 확률이 적용되었군."

"네, 누적 다이아 사용량이 100만을 넘긴 순간 천장에 걸렸죠. 데이터를 살펴본 결과 그가 퀘스트 상급 클래스 소환권을 사용할 때 클래스 테이블은 영웅 클래스 90%. 전설 클래스 9%. 신화 클래스 1%로 돌아가고 있었습니다."

"100분의 1……."

100분의 1도 결코 높은 확률이 아니지만 38,000,000,000,000분의 1에 비하면 충분히 가능한 확률이다. 핵과금러들이라면 [완전 해 볼 만한데!?]라며 기뻐할 정도의 확률.

"그럼 설마…… 노리고 한 것인가요?"

"말이 안 됩니다. 멍청한 짓이에요. 여기서 신화 카드가 안 나왔다면요?"

90%의 확률이 터져 영웅 클래스가 나왔다면 그것도 당첨이기 때문에 천장은 사라진다.

1억을 써서 영웅 카드 한 장 얻는 것이다.

결국 신화 카드를 노리고 한 행동이라면 확률적으로 이 짓을 100번은 해야 하는데…….

"왜 이런 짓을?"

상급 클래스 소환권의 가격은 10만 원.

신화 클래스 소환 확률은 10만분의 1이다.

즉, 100억이면 그냥 상급 클래스 소환권을 사도 충분히 신화 클래스를 얻을 수 있다. 심지어 그 와중에 나올 온갖 클래스들을 생각하면 누가 봐도 멍청한 짓이다.

그러나 확률이 대부분 그러하듯.

일단 떠 버리면 그 모든 논의가 다 무의미하다.

"일단…… 버그나 해킹은 없다는 결론이군."

"네 부장님."

"……좋아. 사장님께는 그렇게 보고 드리지. 모두 해산해."

권 부장의 말에 직원들이 자리에서 일어난다.

"와. 진짜 별일이 다 있네요……."

"개발자 생활 벌써 20년이 넘었는데 이런 건 첨 본다……."

수군거리며 하나둘 회의실을 나가는 직원들. 권 부장은 자리에 앉아 곰곰이 생각에 잠겼다.

그의 옆에 서 있던 양 사원이 묻는다.

"걸리는 점이라도 있으십니까?"

"아니, 걸리는 건 없지. 다만…… 너무 이상해. 그냥 체계적으로 미친놈이라고 생각하기엔 진짜 너무 이상하군. 그냥 이대로 보고하면 사장님도 찝찝해 하실 거야."

권 부장은 자리에서 일어나며 말했다.

"앞으로 자세히 좀 살펴줘."

"자세히…… 군요. 알겠습니다. 부장님."

꾸벅. 고개를 숙인 양 사원이 회의실 밖으로 나간다.

* * *

지구에서 7일. 아르데니아에서 25일이 지났다.

스타팅의 인구는 1만 2천 명까지 늘어났다. 저레벨 플레이어를 두 번째 성인 [와일드 보어]로 보냈다는 걸 생각하면 그야말로 폭발적인 성장이다.

'이제 사람들도 내륙이 더 위험하다는 사실을 눈치 채기 시작한 것이지.'

대륙에 존재하는 대부분의 국가가 산산조각 났다. 셀 수 없이 많은 피난민이 발생했으며 그들은 몰려드는 몬스터를 피해 사방으로 뿔뿔이 흩어졌다.

멋모르고 내륙으로 피난 가던 이들은 죽거나 혹은 내륙이 더 위험하다는 사실을 깨닫고 내지(內地. 영맥과 영맥 사이의 땅.) 깊숙이 몸을 숨겼다.

그리고 그 혼란스런 현실에서.

내 영지는 무지막지한 속도로 발전하고 있다.

“고급 등급의 붉은 송곳 고블린 단검 12,000골드입니다!”

“너무 비싼 거 아닙니까? 아무리 고급 등급이라지만 명중이 달렸지 않습니까?”

“어허, 이거 왜 이러십니까? 붉은 송곳 단검은 이 작은 크기에 민첩이 달린 장비입니다. 허리에 차고만 있어도 스텟 보정이 발생한다고요!”

“팝니다.”

“아니 물건이 뭔지도 안 말하고…… 헉! 배틀 크라이 비전서! 정예병 중의 정예병만 가진다는 바로 그……!”

정예병들은 여유가 되는 대로 넌전을 돌았고 그 안에서 드랍 아이템과 골드를 가지고 나왔다. 골드가 화폐가 되어 거래에 사용되는 것은 자연스러운 흐름이다.

물론 중앙에서 철저히 통제해 찍어 내는 금화와 다르게 몬스터를 잡아 떨어지는 골드는 구조적으로 인플레이션이 일어날 수밖에 없지만 리벤지에는 그런 상황을 방지하기 위한 여러 가지 시스템이 존재하고 있다.

“이 강화 주문서라는 거 하루 10장씩 살 수 있던데…… 못 사면 역시 그냥 그날은 날아가는 거겠지?”

“당연한 말이지. 아! 그나저나 소문 들었나? 글쎄 고블린 단검이 9강이 되면…….”

“헉! 어떻게 그런 효과가!”

"예끼, 이 사람들! 허튼 짓 말고 6강에서 만족하시게! 7강부터는 무기가 깨진다고!"

"하악…… 하악…… 9강 효과가 그렇게 대단하단 말이지?"

"이, 이 친구 눈이 돌아갔구먼! 정신 차려!"

게임이 뭔지도 모르는 중세 랜드의 사람들이 시스템에 적응하기 시작하자 혼란도 잠깐이고 성안에 활기가 차오른다. 풀리는 물건들도 점점 많아지는 것 역시 당연한 일이다.

'인구가 이렇게 급격하게 늘어나도 식량에 문제가 없다는 건 대단하군. 브론즈 소드 남작령을 운영할 때는 식량 때문에 엄청 고생했는데.'

아직 레벨이 낮은 정예병은 물론이고 클래스가 없는 영지민 중 신체 건장한 자들이 경험치를 위해, 또 돈을 위해 와일드 보어 성에 있는 [바람막이 고원] 던전을 돌았다. 간혹 파티가 전멸했는지 던전에서 빠져나오지 못하는 이들이 발생하는 등의 문제가 생겼지만 대신 그만큼 많은 멧돼지 뒷다리가 쏟아져 나온다.

리벤지 속 내 캐릭터가 여신의 가호를 가진데다 남들이 떨군 아이템까지 주울 수 있다 해도 던전을 뺑뺑이 도는 수백 수천 명보다 더 많은 아이템을 먹을 수는 없는 법.

때문에 내 리벤지 캐릭터들은 더 이상 멧돼지를 사냥하지 않았다.

"사실 그 정도가 아니지. 내 캐릭터는 이제…… 고작 멧돼지를 잡을 군번이 아니니까."

그렇다. 이제 리벤지의 캐릭터는 멧돼지를 잡을 군번이 아니다.

고작 멧돼지를 잡기에…… 내 캐릭터들은 너무나 강해졌다.

"하."

편의점에서 알바를 하던 난 잠시 컬렉션 창을 열어 그 중 맨 위에 있는 컬렉션을 선택했다.

[컬렉션]

천지를 가르는 검의 신(검신) 올 스텟+10

신음이 절로 나온다.

"왜 하필 또 검신이야……."

나는 떨리는 손으로 클래스를 열었다.

[검신(劍神)(신화)]

근력+120 민첩+200 체력+120 생명력+80 마나+80

공격 속도 100% 증가.

크리티컬 확률 10% 증가.

[초월경(超越境)]

[고수의 간합(間合)]

[천검(天劍)]

[신검합일(身劍合一)]

[천지를 가르는 검]

"아, 미친. 미쳤다 진짜……."

킬리언스는 장비 하나 바뀌지 않았다. 메인 퀘스트를 달려 새로 얻은 희귀 장비들을 죄다 아르데니아로 넘겨 버렸기 때문이다.

그러나 그럼에도.

퍽! 퍽! 퍽! 촤악!

"와아. 10초 컷이네……."

영웅급 적을 몰이 사냥하고 있다.

[천검-백인참(百人斬)]

[천지를 가르는 검]

우연히 고유 스킬과 초월 스킬이 동시에 터지자 주변에 바글바글 몰려 있던 [아이스 오우거(영웅)]가 떼로 쓸려 나간다.

그렇다.

일 검에 오우거 81마리가 죽었다. 저 두 스킬이 동시에 터지는 건 1시간에 두 번 보기도 힘들다지만 아무리 그래도 그렇지.

"와, 미친."

드랍 템, 골드, 획득 경험치가 지금까지와 차원이 다르다.

40레벨을 찍는 데 몇 달이 걸렸는데, 그리고 40레벨이 넘어서 필요 경험치는 예전과 비교할 수 없이 늘었는데도…… 레벨 업에 가속이 붙었다. 벌써 45레벨이다.

제연넘이뻐 : 와! 검신 개멋지다. 공속 미친…….

누군가 와서 부럽다는 듯 채팅을 늘어놓는다. 리벤지 고래 유저들이 가장 즐기는 상황 중 하나일 테지만 나는 기뻐할 수가 없었다.

왜냐하면 알고 있었기 때문이다.

"아."

만일 저 직업을.

신화 클래스 검신을 아르데니아의 내가 얻었다면…….

"혼자서…… 화점에 가서…… 얼음 여왕 1인 레이드 하고…… 공성을 끝내 버렸을 텐데……."

지금과는 비교조차 할 수 없는 먼치킨 행보가 가능했을 것이다. 영지민들을 훈련시키고 병력을 키우는 일을, 어쩌면 굳이 안 했을지도 모른다.

그냥 내가 가서 천 마리든 만 마리든 다 죽여 버리면 되니까.

이런 미친 생각을 할 정도의 성능이 검신이라는 클래스에 있었다.

'그냥 전설보다 좀 더 좋은 수준일 줄 알았는데.'

그러나 그 정도가 아니다.

"아."

편의점 알바를 마치고 웅녀철강으로 출근한다.

인챈터들을 보조하고 철판을 나른다.

"와! 아니 이걸 그냥 들고 간다고? 와, 너 힘 엄청 세구나."

"저기 재연 씨? 근데 왜 이렇게 넋이 나갔어요?"

"뭐야. 재연 씨 무슨 일이 있어?"

클럽 입구에서 새파란 애송이들의 복장을 체크하고 진상을 내쫓는다.

"죄, 죄송해요! 제가 술을 좀 먹었더니 흥분 했나 봐요!"

"야! 내가 돈 내고 들어가겠다는데 뭐가 불…… 앗, 아앗…… 죄송합니다. 돌아갈게요……."

"저기 형님? 바운서가 원래 좀 그런 일이긴 해도 손님들한테 너무 겁주시면……."

편의점으로 출근해 수량을 체크하고 상품들을 정리한다.

"야! 알바 새끼가 부르면 재깍재깍……."

"뭐."

"아, 아닙니다……."

편의점 알바를 마치고 다시 웅녀철강으로 출근한다.

그리고 그러며 생각한다.

"아아."

너무 아깝다.

좋은데 화가 난다.

"내 검신……."

안타까움에 신음하지만.

이러니저러니 해도 신화 클래스 획득으로 게임 플레이가 너무나 쾌적해졌다.

리벤지의 클래스 시스템은 컬렉션처럼 전 캐릭이 공유하는 것이기에 더욱 그러하다. 당장 아이템 획득 수준이 차원이 달라지지 않았던가?

[얼음 거인의 숲에서 킬리언스포님이 냉기의 수호 반지(희귀)를 획득했습니다!]

"오!"

바로 이렇게. 나는 자동 사냥을 유지한 채 인벤토리를 열었다.

[냉기의 수호 반지(희귀)]

냉기 속성 저항 +45%

"간다."

나는 즉시 냉기 저항의 반지를 5강까지 강화했다.

그리고 [축복받은 장신구 강화 주문서]를 사용했다. 이 주문서를 사용하여 강화에 성공하면 1강에서 최대 3강까지 강화된다.

[장비 강화 중입니다……]

나는 망치질 영상을 가만히 들여다보았다.

[성공! 냉기 저항의 반지가 +5→+7로 강화되었습니다!]

"오!"

나는 기뻐하며 축복받은 장신구 강화 주문서를 다시 사용한다. 여기서 2강만 성공하면 바로 9강이었다.

[장비 강화 중입니다……]

모루를 치는 망치를 보며 확신했다.

"성공이다."

[장비가 파괴되었습니다.]

"아……."

잠시 멍하니 있다가, 인벤토리를 정리하고 포션을 충당한 뒤 다시 자동 사냥을 돌린다.

"후…… 하다 보면 되겠지. 반지가 하루에 두 개는 떨어지고 있으니."

고렙 사냥터가 좋긴 좋다. 잊을 만하면 희귀템이 하나씩 떨어지고 있다.

[장비가 파괴되었습니다.]

"아오!"

자꾸 파괴되는 장비에 분노하면서도 강화를 포기할 수는 없다.

'9강화 냉기 저항의 반지가 적어도 하나는 있어야 해.'

소드 마스터 칸 슬래셔에 대한 고민은 더 이상 하지 않는다. 스타팅의 전력이 과거와 비교할 수 없을 정도로 늘어난 데다 영웅 등급의 성은 아무리 소드 마스터라도 쉽게 넘볼 장소가 아니기 때문이다.

'올 상황도 아니고 말이야.'

오크 무리는 아이스 엘리멘탈들에게 공격당하고 있다. 사방에 뿌려 둔 정찰병들의 보고에 따르면 잘 막아 내고 있는 모양이지만 기본적으로 불리한 전투인 모양이다.

'화점의 몬스터는 속성계니까.'

똑같은 고급 등급이어도 오크 전사는 아이스 엘리멘탈에게 일방적으로 밀린다.

속성계 몬스터에게는 물리 공격이 반감돼서 들어가며 공격에 냉기가 깃들어 있으니 냉기 저항 능력이 없다면 방어가 어렵다.

물론 냉기 저항 아이템이 있다면 일반 몬스터보다 더 만만해지겠지만 지금 오크들이 어디에서 그런 아이템을 구하겠는가?

상성상 이렇게 불리한데 아직까지 버틸 수 있는 것은 리젠 위치가 가까운 방어자라는 입장과 칸 슬래셔의 고군분투 덕이리라.

"로그인."

아르데니아로 들어간다.

그리고 집무실 책상 위에 쌓여 있는 보고서들을 살핀다.

"아…… 바빠서 미쳐 버리겠네."

지구에서만 바쁠 때에는 아르데니아에서 잠을 자면 상황이 해결되었지만 아르데니아에서도 일이 쌓이기 시작하자 수면 시간에 심대한 문제가 생겼다.

"용맥에 요소를 각인하는 데 성공해서 얼마나 다행인지."

투덜거리며 차크라를 끌어올린다.

신체(身體), 수면(睡眠), 중문(重門) 개방(開放).

완전수면(完全睡眠).

신체와 수면의 동시 개방으로 만들어 낸 술식을 가동한다.

깜빡.

눈을 감았다 뜬다. 고작 30분 정도의 짧은 수면이었지만 피로에 쩔어 있던 상태가 극적으로 회복된다.

"사치스러운 수면이네."

다른 차크라 수련자들이 내 상황을 알았다면 뭔 그딴 술식을 만들었냐고 욕을 했을 것이다. 잡다한 요소를 여는 행위는 스스로의 역량을 깎아 먹는 것이나 다름없으니까.

'하지만 나랑은 상관없다.'

나는 착점 하나에 요소 하나를 각인할 수 있었고 각인에 성공하면 해당 요소는 착점의 힘으로 온갖 보정을 받았다.

수인(手印)과 언령(言令)의 생략.

정신력 소모 최소화.

용량 감소까지.

"이쯤 되면…… 회복 말고 전투용도 만들어야 하는데."

하지만 아쉽게도 수련 시간이 모자라다.

영주로서, 아니, 성주(城主)로서의 업무가 더욱 급하다.

"정말 죽겠군…… 돈도 모자라고 인재도 모자라고……."

그리 길지 않은 시간 동안 스타팅과 와일드 보어는 눈부신 발전을 이루었다.

총합 3만 명이 넘는 사람들이 살고 있으며 1,500명 이상의 플레이어를 품게 되었다.

그러나 행정 업무를 수행할 인원이 턱없이 모자라고 외부 인원이 너무 늘어나서 치안이 불안정하다.

식량은 폭증한 인구를 감당하고도 남을 정도로 풍족하지만 그 외에는 많은 것들이 부족했다.

주거 공간도 슬슬 문제가 되었다. 스타팅과 와일드 보어는 거의 도시급에 가까운 규모를 가지고 있지만, 그렇다고 사람을 무작정 받아들일 정도는 아니다.

"행정 업무를 할 인원을 계속해서 뽑고, 빈 성에 자리잡을 정예병을 선발해야겠군. 그리고 녀석들에게 주민천 명 정도를 딸려 보내서……."

그렇게 상황을 정리하고 있을 때였다.

똑똑.

"들어와."

내 말에 집무실 문이 열리고 플라워가 안으로 들어온다. 한동안 힐러로서 열심히 던전을 돌고 패스트 쓰리 학파에 입문까지 한 그녀였지만 레벨이 30이 넘으면서 레벨링이 부쩍 느려지고 두 기사가 이제 각각 파티를 이끌어도 헬 난이도를 문제없이 클리어하게 되자 다시 시녀

장의 자리로 돌아온 상태였다.

"서쪽에서 군대가 접근 중입니다."

"서쪽? 그쯤이면…… 코볼트인가?"

"인간입니다. 폭시 왕국이지요."

그녀의 말에 난 결재 서류에서 눈을 떼 그녀를 바라보았다.

"숫자는?"

"병력은 대략 1만 5천. 그리고 그들을 따르는 피난민이 8만입니다."

"아이고……."

지금껏 받아들였던 피난민들과는 차원이 다른 규모의 무리다.

"우두머리는?"

"폭시 왕국의 국왕. 화이트 폭시입니다."

"국왕이라……."

아르데니아에는 크게 4개의 세력이 존재한다.

명(明) 제국.

신성제국.

크리스털 연맹.

그리고 8왕국.

명 제국은 천원(天元)을 차지하고 있던 대륙 최강의 세력으로 굳이 말하자면 중화 제국에 가까운 나라다.

대륙의 정중앙. 그러니까 알짜배기 땅을 떡 차지하고

있던 곳이라 인구도 국력도 엄청나던 곳이다.

대륙의 중앙부를 차지하고 있다는 자부심 때문에 스스로를 중앙인(中央人)이라 부르며 다른 나라들을 무시했고 때문에 주변국과 사이가 별로 좋지 않았다.

지금은 멸망해 산산이 쪼개지고 말았지만 과거 성세를 떨쳤던 중국이라는 나라에서 콘셉트를 따온 곳이라고 들었다.

다음은 신성제국.

대륙의 서쪽에 위치한 나라로 땅 크기는 4개의 세력 중 가장 크다. 다만 국토의 상당 부분이 사막 지대라서 그 크기만 한 인구를 갖추지는 못했다.

종교색이 짙은 국가로 교황이 황제와 맞먹는 권위를 가지고 있는 곳이었다.

크리스털 연맹은 아인(亞人)들이 연합해 만들어진 세력으로 수인, 엘프, 드워프 등등이 소속되어 있다.

대륙의 남쪽에 위치한 세력으로 국토 대부분이 숲과 정글인데다 인간에게 폐쇄적인 국가이기에 가 본 적은 없다.

그리고 마지막이 바로.

'8왕국이지.'

묶어서 부르지만 그리 끈끈한 사이는 아니다. 그저 서로 붙어 있고 성향이 비슷하니 제국이나 연맹과 긴장 상태가 되었을 때 뭉쳐 대항하는 정도?

'일종의 이권 단체 느낌이지.'

"수도를 잃어버린 모양이네. 하기야 녀석들도 화점이 수도였으니 버티기 어려웠겠지."

9개의 대륙 화점은, 신성 제국이 3개, 명 제국이 1개, 크리스털 연맹이 3개, 8왕국이 2개로 나눠 차지하고 있다.

'이제는 있었다. 라고 해야겠지.'

저렙 존. 그러니까 대륙의 외곽에 위치하지 않은 모든 세력은 착점에서 쏟아져 나온 몬스터들로 인해 괴멸적인 피해를 입었다. 화점에 수도를 두고 있던 크롬 왕국이나 폭시 왕국의 경우는 더 말할 필요도 없을 것이다.

특별한 용맥을 가졌다는 사실로 부심을 그렇게 부려 댔는데 그 이유로 더 큰 피해를 입게 된 것이다.

'하지만 아무리 그래도 이곳으로 몰려온다고?'

착점과 착점 사이의 거리는 결코 만만한 수준이 아니다. 100킬로미터가 지구에서는 일반인도 막 돌아다니는 거리지만 이 중세 랜드에서 착점을 막 지나다니는 인간은 거의 없다. 고속도로나 다름없는 영맥이 존재한다 해도 100킬로미터라는 거리는 결코 만만한 것이 아니기 때문이다.

그런데 피난민까지 이끌고 수백 킬로미터를 이동했다니…….

그것도 근처의 다른 성도 아니고 왜 굳이 우리 성으로 온단 말인가?

"거리는?"

"앞으로 3일이면 도착할 것으로 예상된다고 합니다."

"3일이라."

나는 깃펜을 톡톡 치며 잠시 생각을 정리한 후 이내 마음을 결정하고 말했다.

"마중 가야겠군."

"마중…… 말씀이십니까?"

"그래. 스틸스톤, 헌드레드, 스마일 다 불러. 기승 펫을 가진 정예병 삼백 안쪽으로 준비시키고."

"네, 영주님."

플라워가 집무실이 나가는 모습을 본 뒤 생각을 정리한다.

'귀환서가 더 있어야겠군.'

그렇다면 망설일 이유가 없다.

"로그아웃."

편의점으로 돌아와 거래소를 살폈다.

그리고 깜짝 놀란다.

"아…… 니, 이거 가격이 왜 이래?"

10장 묶음에 10다이아. 그러니까 장당 100원이었던 귀환 주문서가 100다이아가 되어 있다.

장당 천 원!

"열 배가 올랐다고!?"

웃기는 게 가격이 열 배로 오르면서 거래소 매물은 훨

씬 많아졌다. 이제 매물 걱정할 일은 없는 대신 돈 걱정을 해야 하는 상황이 된 것이다.

"아무리 가려 뽑아도 집단 규모로 사람들을 이동시키려면 적어도 몇만 장 이상 모아 놔야 하는데…… 아니 근데 이거 이 가격에도 사면 더 오르는 거 아니야?"

기가 막혀 헛웃음이 나온다. 필요 없어 버려지던 아이템이 그저 누가 샀다는 이유로 가격이 치솟다니…….

진짜 해도 해도 너무한다. 죄다 사기꾼들 아닌가?

"아무리 필요해도 이건 억울해서 못 사겠다."

사실 돈도 모자랐다. 가뜩이나 돈 쓸 데도 많은데 여기에까지 돈을 쏟아 부을 수는 없는 일.

그동안 틈틈이 사 놓은 귀환 주문서가 8천 장 정도 되니 조급해할 필요는 없으리라. 안타깝지만…… 피난민 무리들은 그냥 걸어오게 해야 할 듯싶었다.

"뭐, 귀환 주문서는 워낙 남아돌아 버려지기까지 하던 아이템이니 한 한 달 정도 놔두면 원래 가격을 되찾겠지."

그 즈음 포션이 떨어진 난 자동 사냥을 마치고 근처에 있는 성으로 이동했다.

성에 있던 다른 플레이어들이 나를 보고 채팅을 친다.

사라다맛나 : 오! 신화 캐릭이다!

알라딘 : 개멋지다. 우리 성에도 신화 캐릭이 돌아다니는구나.

셀리에르 : 어 킬리언스? 저 사람이 요번에 그 사람이지? 무과금이라던…….

파파야 : 오늘 공지 올라왔는데 무과금은 아니래. 1억 넘게 과금했다던데?

셀리에르 : ? 근데 장비가 왜 저럼?

여기저기에서 나를 화제로 떠들었지만 별일은 없다. 간혹 다가와 말을 거는 이들도 있었지만 무시하고 이동하자 그대로 발길을 돌린다.

'의외네.'

사실을 말하자면.

나는 리벤지에서는 무과금 유저나 다름없는 내 캐릭터가 테러를 당할 수도 있다고 생각했다.

그렇지 않겠는가?

자신은 억, 혹은 수십억을 써도 얻지 못한 신화 캐릭을 누군 공짜로 얻었다는데 당연히 속이 뒤틀릴 일이다. 심지어 리벤지는 안전지대가 아니라면 어디에서도 PK가 가능한 게임이니 사냥 중인 내 캐릭터를 누군가 와서 죽여도 전혀 이상한 일이 아니었을 것이다.

'하지만 그런 일은 없었지…….'

신화 클래스가 있으니 중소 과금 유저들이야 충분히 이길 수 있지만 그 이상이 오면 바로 죽어 나갔을 텐데 시비를 거는 이가 없다.

'하긴…… 너무 현실처럼 생각할 필요는 없지. 여기는 결국 게임이니까.'

9번째 신화의 등장은 놀라운 이벤트였지만 결국 그 정도라는 것이다. 리벤지는 높은 평균 연령으로 유명한 게임이니 치기 어린 뻘 짓이 적은 것일 수도 있다.

쿠르릉…….

"응?"

난데없는 소리에 마우스를 움직여 하늘을 올려다보았다.

구름이 몰려오고 있다.

"어? 이거……."

뭔가 익숙한 광경이다.

쿵! 쿵! 콰릉!

"이건……"

내가 신화 클래스를 얻었다고 질투해 테러를 하거나 암살을 하는 플레이어는 없었다.

그렇다. 없다.

신화 클래스에 자극 받을 정도로 [상위]의 플레이어들의 행동 원리는 [그런 식]이 아니다.

—마침내 초월의 경지에 올라 인간의 몸으로 하늘에 오르나니.

—신이여. 용서하소서.

나는 알지 못했다.

나의 신화 클래스 획득이 최상위급 고래 유저들에게 어떤 불을 붙였는지. 피라미들은 감히 짐작조차 할 수 없는 천상계에서 어떤 일이 벌어지고 있는지.

그들의-

[경쟁]이……

[모두 칭송하십시오. 10번째 신화가 지금 이 자리에 탄생하였습니다.]

[모두 칭송하십시오. 11번째 신화가 지금 이 자리에 탄생하였습니다.]

어떤 식으로 이루어지는지.

[그의 이름은 일세대붉은곰]

[그의 이름은 군필마도사]

"이런 미친……."

하늘을 바라보며 신음한다.

[지금 이 시간 부로 24시간 동안 모든 사냥터에 경험치 100퍼센트 버프가 주어집니다.]

[중첩 발생!]

[지금 이 시간 부로 24시간 동안 모든 사냥터에 경험치 200퍼센트 버프가 주어집니다.]

"진짜……."

[다시 한번 안내 드립니다. 10번째 신화가 지금 이 자리에 탄생하였습니다.]

[다시 한번 안내 드립니다. 11번째 신화가 지금 이 자리에 탄생하였습니다.]

"진짜 미친놈들 아니냐?"

후에 지칭하길.

[신화의 시대]가 시작된 어느 날이었다.

* * *

1억은 큰돈이다. 지방이면 마당 딸린 단독주택. 서울이면 투 룸 아파트 한 채를 살 수 있고 성장을 원한다면 4급 이상의 마법기나 3급 이상의 영약을 살 수 있는 돈.

평범한 회사원이라면 1년 내내 죽어라 일해도 손에 쥐기 힘든 수준의 거금.

그러나 리벤지에서는 다르다.

총 과금액이 1억 이하의 캐릭터는 그저 무과금이라 불

린다.

과금을 안 한 것과 별반 다를 게 없다는 뜻이다.

'물론 진짜 별반 다를 리는 없지.'

그러나 취급이 그렇다. 리벤지는 전쟁 베이스의 게임이고 PVP는 원래 상대적이니까. 그들보다 더 아래 위치한 진짜 무과금 유저들은 전쟁에 참여조차 하지 않으니 어쩔 수 없는 일이다.

'어디 보자 과금액이…….

총 과금액이 일억에서 오억 정도 되면 어느 정도 전투력을 가지게 된다.

단순 사냥을 벗어나 떼쟁이나 레이드 등의 중간 단계의 콘텐츠에 참여하는 게 가능해지는 수준. 이 단계의 플레이어들은 영웅 캐릭터를 들고 영웅 장비를 들었지만 9강은 하지 못한, 컬렉션도 많이 비어 있는 수준이다.

총 과금액이 오억 초과 십억 이하라면, 이제 상위 길드. 그러니까 성을 차지하거나 공략하는 [전쟁 길드]에 가입할 정도는 된다.

그러니까 제일 끄트머리에서 고기 방패를 하는 정도.

총 과금액이 십억을 넘고 오십억 이하라면 전쟁 길드에서도 중간급 정도는 된다. 전설 클래스를 가지고 전설 스킬을 얻기도 한다.

이쯤 되면 컬렉션과 수호령 강화가 전투력 향상에 더 도움이 되기 때문에 컬렉션을 채워 가는 단계다.

총 과금액이 칠십억 정도라면 어느 정도 세팅을 끝마치고 최상위 사냥터와 미궁, 탑 등을 전전하는 단계다. 떼쟁이 벌어지면 사람들을 이끌고 다니는 핵심 전투원들.

그리고 총 과금액이 백억에 가까워지면 엔간한 길드의 길드 마스터쯤은 된다. 길드를 충실히 키웠다면 착점을 먹는 경우도 있다. 다수의 전설 클래스, 스킬, 펫, 수호령을 가지고 있다. 컬렉션도 80퍼센트 이상 모은 상태니 어디 가도 어깨를 으쓱일 정도의 강자다.

'그리고…… 다음 단계가 핵과금러. 흔히 말하는 고래 유저다.'

총 과금액 100억 이상. 현존하는 리벤지의 과금 요소를 거의 다 완료한 캐릭터.

착점을 차지한 성주인 건 당연한 일이고 전설 클래스를 수십 개 이상 가지고 있다. 컬렉션을 90퍼센트 이상 모았으며 수호령의 레벨이 캐릭터 레벨을 따라잡았다.

리벤지의 [강함]이라는 것은 일반적인 게임과 전혀 다르다.

보통의 게임에서는 똑같은 유저이니만큼 어느 정도 [공평]함이 존재한다. 아무리 게임을 오래한 고수라도 사람 대 사람이면 1대 10이나 1대 100같은 일은 일어날 수 없는 것!

그러나 리벤지는 아니다.

리벤지에서 하위 플레이어들이 떼로 몰려들어도 핵과

금러의 몸에 기스 하나 내기 어렵다. 핵과금러가 출동한다면 적들은 그만한 강자를 데려와야만 한다. 고래 유저. 흔히 [형님]이라 불리는 존재들이다.

"하지만…… 신화는 그런 고래 유저들도 언감생심 노리지 못하던 물건이란 말이지."

신화 등급에 대한 네메시스의 방침은 기본적으로 '최고급화'였다.

수천만 원 수준의 적당한(?) 돈을 부으면 얻을 수 있는 전설 등급과 다르게 신화 등급에는 온갖 조건이 달려 있다. 일반적인 플레이어는 도저히 달성하기 힘든 조건들이 획득을 방해하는 것이다.

일단은 합성이 안 된다.

하위 등급 4개를 합성해 상위 등급을 얻는 합성이 신화 등급에는 통용되지 않는다. 정확히 말하자면 되긴 하는데, 조건이 걸려 있다.

'화점의 성주일 것.'

기존의 신화 등급이 8명이었던 이유다.

천원(天元)에 위치한 망령룡의 둥지가 아직 정복되지 않았으니 신화 클래스도 8명만 있을 수 있었던 것!

심지어 이렇게 얻은 신화 클래스는 공성전에서 패배해 성주 자리를 잃게 되면 자동으로 비활성화 된다.

'신화 스킬, 신화 장비는 남아 있지만 모든 신화 클래스가 공유하는 초월 특성. [초월경(超越境)]이 없으면 그 효

과가 크게 반감되지.'

실로 끔찍한 시스템. 일단 화점을 먹은 성주들이 목숨을 걸고 성을 지키고, 또 도전자들이 거듭된 실패에도 끈질기게 따라붙는 게 바로 그러한 이유 때문이다.

'하지만…… 신화 클래스를 얻는 또 다른 방법이 있다.'

바로 상급 클래스 소환권.

뽑기로 단 한 방에 뽑아낼 수 있다면, 앞에 말한 모든 조건이 필요가 없다.

문제는.

가격이다.

기댓값 100억.

다시 말하지만 총 과금액 100억이면 이미 리벤지에서 정상급 플레이어다. 길드 마스터일 테고 컬렉션도 이미 거의 완성했을 것이다.

그런데 그것과 맞먹는 돈을 뽑기를 한다? 오직 클래스 하나를 위해?

'사는 게 미친놈이다.'

소환 카드는 3종류로 나뉜다. 클래스 소환, 수호령 소환, 펫 소환의 [분류]를 말하는 게 아니라 등급의 이야기다.

첫 번째는 푸쉬 아이템으로 우편함에 들어오거나 길드 거래소, 이벤트 교환소 등에서 얻을 수 있는 [하급 소환 카드].

하급 소환 카드는 일반(90%), 고급(9%), 희귀(1%) 등급만을 얻을 수 있다.

다음이 [일반 소환 카드].

거래소에서 장당 100다이아(1만 원)으로 구입 가능한 일반 소환 카드는 일반(90%), 고급(9%), 희귀(0.9%), 영웅(0.1%) 등급이 등장한다.

그리고 대망의 [상급 소환 카드]다.

장당 1,000다이아(10만 원).

'미친 가격이다.'

엔간한 AAA급 게임을 패키지에 DLC까지 껴서 구매할 수 있는 가격. 이게 소환 카드 한 장 뽑는 데 들어가는 금액이라니…… 진심으로 제정신이 아니다.

심지어 다른 등급 소환 카드보다 확률이 더 높은 것도 아니다.

일반(90%), 고급(9%), 희귀(0.9%), 영웅(0.09%), 전설(0.009%), 신화(0.001%)로 그저 소환 목록의 매우 적은 부분에 전설과 신화가 추가되어 있을 뿐이다.

1회 도전에 10만 원, 그리고 10만분의 1의 확률.

확률적으로 100억은 쏟아야 얻을 수 있는 등급이기 때문에 상급 클래스 카드로 신화에 도전한다고 생각하기가 어렵다.

'간혹 몇몇 플레이어가 호기심으로 한두 장 사 보고 일반 등급이 튀어나오는 모습에 놀라 후퇴하고는 했다지.'

때문에 상급 클래스 카드로 신화 등급을 얻는 이는 [거의] 없었다. 너무나 비효율적이기 때문이다.

'뭐 아예 없는 건 아니라는 게 무서운 점이지만.'

그러나 그렇게까지 지르는 이들은 이미 화점을 차지한 핵고래 유저였기 때문에 신화 플레이어의 숫자는 계속 8명이었다.

아무리 그래도 게임.

집에 돈이 산처럼 쌓여 있는 부자에게도 100억, 200억은 결코 적은 돈이 아니다. 나처럼 실질적인 보정을 받을 수 있다면야 100억이 아니라 100조, 200조도 붓는 사람이 있겠지만 현실은 그냥 게임 아닌가?

게임 속 캐릭터가 초월지경에 이르렀다고 현실에서 달라질 건 없다. 그냥 게임 속에서 우러름 받고 끝이지.

"그래서 추가적인 신화 플레이어는 나오지 않았지."

그러니까.

지금까지는 그렇다는 말이다.

[열두 번째 신화가 지금 이 자리에 탄생하였습니다.]

알렉스 : 와. 성주 형님들 너무 달리는 거 아닌가? 기대값이 100억이라던데 뭐 자꾸 뽑아?

섹시킹 : 와. 돈들 짱 많네. 너무 부럽다.

알렉스 : 형들도 형들인데. 난 네메시스가 제일 부럽다. 데이터 쪼가리 팔아서 대체 얼마를 버는겨……

-하늘의 별빛이 떨어져 산이 쪼개지니.

-어느 날 한 줄기 빛이 되어 하늘로 승천(昇天)하노라.

"이건 또 뭐야?"

지금까지와 다른 방식의 텍스트에 의아해하며 채팅창을 살핀다.

과연 거기에 답이 있다.

레록 : 와 ㅅㅂ 유성룡(流星龍) 아님? 미쳤다 진짜. 합성이 아니라 100억을 다이렉트로 박아서 펫을 뽑는다고?

칼스파닉 : 아. 이건 구경 가야겠다. 이거 어느 도시야? 아, 천등산이구나. 있다 봐!

"유성룡?"

역사책에서 나올 것 같은 이름에 팬 사이트를 검색해 보았다.

[유성룡(流星龍)(신화)]

산을 쪼개며 박힌 유성은 천 년이 지나 용이 되어 승천하였다.

이 신비로운 초월종은 막강한 전투 능력과 주인의 행운을 높이는 권능을 가졌다 한다.

거리와 상관없이 드랍 아이템을 수거한다.

[초월종]

[섬광 브레스]

[별의 가호-행운(신화)]

"좋은…… 건가?"

유성의 용. 신화급이고 용이라니 당연히 좋겠지만 잘 체감이 가지 않는다. 특성이 신화 고유 특성 하나뿐이고 나머지 2개의 옵션은 액티브 스킬이었기 때문이다.

"기승 펫도 아닌 듯하고…… 이 덩치에 버프 펫이야?"

의아해하며 상세 설명을 확인한다.

[초월종]

모든 스텟의 격이 한 단계 상승.(단 999를 넘기지 않는다.)

모든 스킬 사용에 최상급 보정.

격하(格下)의 모든 공격에 대한 내성 판정이 한 단계 상승.

격하의 모든 방어 능력을 절반 이상 무시.

"이건 초월지경하고 비슷하네."

그 아래, 다른 스킬들을 차례로 확인한다.

[섬광 브레스]

시야 안에 있는 모든 존재에게 극대의 섬광 데미지.

[별의 가호-행운(신화)]
행운 +500.(단 999를 넘기지 않는다.)

효과들이 아주 심플하다. 너무 심플해서 뇌가 심플해지는 것 같다.

"시야 안의 모든 존재는 뭐야, 제정신인가…… 게다가 행운 +500이라니."

행운은 유일하게 보너스 포인트를 투자할 수 없는 스텟이다. 크리티컬, 패링, 블록 등등 모든 확률 기반 능력에 영향을 끼치며.

무엇보다 드랍률을 올리는 스텟으로 유명하다.

"이딴 게 있다니. 밸런스 어디로 갔냐……."

그러나 다시 생각해 보면 리벤지는 원래 밸런스라는 게 없는 게임이다.

모두가 공평한 입장에서 플레이하는 보통의 게임과는 전혀 다른 방식의 게임.

어떻게 생각하면 너무나 현실적이라 말할 수 있을 것이다.

"형님! 형님! 소식 들었어요?"

기도 일을 하고 있는 내게 창식이 다가와 떠들었다.

"리벤지 난리 났더라고요. 사람들이 막 수백억씩 지르고 있데요! 그거 형님이 하는 게임 맞죠?"

"와. 세상에 돈 많은 사람이 뭐 이리 많은지. 아니 근데 돈이 아무리 많아도 어떻게 몇십억 이상을 때려 박나 싶어요. 내가 그 돈 있으면 별걸 다 할 수 있을 텐데."

신화 클래스 획득으로 시작된 광풍은 쉽게 가라앉지 않았다.

[신화 클래스라는 이야기를 들어 본 적 있으신지요? 최근 네메시스 소프트의 리벤지라는 MMORPG에서……]

이번 사건이 뉴스로 탔다.

[아, 꺼져! 좀 꺼지라고! 내가 무슨 신화 직업 뽑는 리벤지 형님들이야? 내가 이런 돈이 어디 있어!?]

예능에서 연예인들이 언급한다.

[이 과금이 너무 지나치다는 겁니다. 애초에 데이터 쪼가리 하나에 100억이라니……]

심야 토론의 주제가 되기도 한다.

여러모로 엄청난 화제.

그러나 나는 그것들에서 신경을 끄고 웅녀 철강에 출근했다. 스타 나이트에서 일하고 편의점 카운터를 지켰다.

어느새.

12월이 되었다.
"요번 달도 고생했어."
"계좌 확인해 주세요."
월급이 들어왔다. 주말마다 하는 스턴트 비용까지 더하고 나니 어느새 은행 잔고가 수천을 넘긴다.
"좋아. 이 정도 돈이면 숨 돌릴 수 있겠지."
스턴트를 마치고 원룸으로 돌아온 나는 욕실에서 샤워를 마치고 방으로 돌아왔다.
그리고 그대로 로그인하려다가-
"아."
문득 아르데니아에 있는 피난민들을 떠올린다.
"그러고 보니 지금쯤이면 귀환 주문서 많이 싸졌겠지? 사는 사람이 없을 테니까…… 그래 10장 묶음에 10다이었는데 100다이아는 선 넘었지."
나는 다시 자리에 앉아 거래소를 켰다.
그리고 최저가를 확인했다.
640다이아.
"……?"
잠시 상황을 이해하지 못하고 거래소를 멍하니 바라보았다.
"아니 이게 뭔 소리야…… 10장에 640다이아라고?"
한 장에 100원이었던 귀환 주문서가 한 달 만에 6,400원이 되어 있었다. 전에 100다이아로 뻥튀기되었던 가격도 허상이라고 봤는데 거기서 6배 넘게 증가한 것이다.

최초 가격을 생각해 보면 64배나 증가했다.

"……뭐야? 왜? 아니 이게 주식도 아니고 가격이 왜 올라?"

나는 한참이나 거래소를 들여다보다가-

홀린 듯 내가 가지고 있던 8,000장의 귀환서를, 열 장당 600다이아의 가격으로 거래소에 올렸다.

띵동!

1분 만에 다 팔렸다.

"……?"

거래소 수령 탭에 들어가 보니 48만 다이아가 들어와 있다. 4800만 원.

"뭐야?"

잠시 멍하니 있었다.

"뭐임?"

이해가 되지 않는다.

"아니 대체 이게 뭐지?"

거듭된 의문. 그러나.

거래소는 대답하지 않았다.

* * *

재연은 몰랐지만.

리벤지에는 리셀러(reseller)라 불리는 플레이어들이 있다.

사냥도 하지 않고.

이벤트에도 참여하지 않는다.

그저 하루 종일 거래소만 들여다보며 아이템을 사고 팔기만을 반복하는. 오직 거래 사이에 발생하는 차익에만 관심이 있는 플레이어들.

그들은 거래소의 시세를 조작하거나 아이템을 사재기하는 방식으로 다이아를 벌어 좀 더 저렴하게 다이아를 구하고자 하는 [고객]들에게 현금을 받고 그것을 팔았다. 보통의 게이머라면 별로 좋아하지 않는 부류의 플레이어인 것이다.

사실 리셀러라는 말도 그들끼리의 명칭이지 일반적인 플레이어들은 [사재기꾼]이나 [혐사꾼(혐오스런 장사꾼)]이란 멸칭으로 부른다.

"어라, 누가 귀환서 사네."

하루 종일 거래소만 보고 있는 그들의 눈에 재연의 움직임이 파악된 것은 자연스러운 흐름이었다.

"썩어나는 귀환 주문서를 왜 싹 사 가지?"

"몰라. 일단 우리가 가진 귀환서를 20다이아에 올려봐."

"알았어."

그렇게 각자 십수 개의 계정을 가지고 있는 리셀러들이

가격을 올려 귀환서를 거래소에 등록했다.

—뭐…… 사실 아직도 싼 편이긴 하지.

도시 밖에서 난민들을 텔레포트시키려던 재연은 그것을 샀다. 사람 하나를 수백 킬로미터 이동시키는 데 고작 200원이면 싼 편이 아니겠는가?

그게 2배 오른 가격이라는 사실이 가슴 아프지만 어쩔 수 없는 일.

"이게…… 좀 이상한데? 누군가 귀환서를 막 사들이고 있잖아?"

그러나 그런 재연의 사정을 알 리 없는 그들은.

"뭐가 있나……?"

잘못된 판단을 내리고 말았다.

그들뿐만이 아니다.

"야, 친구 좋다는 게 뭐냐. 내가 부탁 좀 할게."

"아, 쌍놈 새끼 진짜…… 잠깐만…… 찾았다. 킬리언스야, 킬리언스."

누군가는 네메시스 직원을 통해 회사 내부의 정보를 구했다. 고작 거래소 구매 캐릭터에 대한 정보는 기밀이라 할 만한 수준도 아니었기에 직원의 입은 너무나 쉽게 열렸다.

"킬리언스…… 킬리언스? 뭐지? 왜 이 아이디가 귀에 익지?"

“킬리언스! 9번째 신화!”

“이, 이거 냄새가 나는데? 야! 귀환 주문서 되는 대로 사 봐!”

“앗! 벌써 10장당 50다이아인데?”

“사!”

너무 많아서 버려지기까지 하던 귀환 주문서의 가격이 들썩이기 시작했다.

리셀러와 거래소의 큰손들.

그리고 몇몇 길드들이 그 움직임에 따라붙었다.

그들은 조심스럽게 움직였지만, 말이 새어 나가는 것은 막을 수 없었다.

심지어 그들이 [조심스럽게] 움직였다는 사실이, 이 말도 안 되는 착각에 신빙성을 불어 넣었다.

그리고 리벤지가 [신화의 시대]란 광풍에 휩싸였을 때,

거래소 역시 광풍에 휩싸였다.

[귀주(귀환 주문서) 240다이아 가즈아아아----!]

[영차-! 영차-! 영차-!]

[귀주 270다이아 찍었다!]

[아니 이게 왜 오르지? 거품 아님? 이유가 없잖아?]

[쯔쯔. 애송이들. 요새 막 신화 뜨는 거 보면 몰라? 귀주 쓰고 뽑기 하면 확률이 높아진대!]

[그게 근거가 있는 이야기임?]

[모르겠고 귀주 340다이아 가즈아아아아------!]

주식판에도 종종 그런 일이 있다.

그 회사가 비전이 있고 새로운 활로를 개척하거나 신기술을 개발해서 주식이 오르는 게 아니라.

모두가 [왜?]라고 말하는데 하여튼 주식이 올라가는 경우.

[멍청한 것들아! 달리는 말에 올라타야지! 이거 성주 형님들이 참여한 판이라니까!]

[아 나도 모르겠다. 산다!]

[영차-! 영차-!]

[440다이아 가즈아!]

귀환 주문서 가격이 바로 그런 케이스였고 온갖 찌라시와 가짜 뉴스가 판을 치자 그 누구도 상황을 명확하게 읽어 내지 못했다.

잘은 모르지만, 귀환 주문서 가격이 오르고 있다! 그리고 아직 한참 더 오를 것이다!

정말 근거라고는 먼지만큼도 없는 광기(狂氣)의 매매로 인해 귀환 주문서의 가격은 계속해서 올라갔다.

그리고 그런 상황에 재연이 8,000장의 귀환 주문서를 팔았다.

여전히 그는 몰랐지만.

그것은 거품을 찌르는 바늘이었다.

* * *

“아, 일단…….”

나는 혹시나 모른다는 마음에 얻은 다이아를 몽땅 써 버렸다.

이게 뭔가 버그 때문에 일어난 일일 수도 있지 않은가?

나중에 뭔가 문제가 되어 회수할지 모르니 당장 써 버리는 게 답이다.

[클래스 소환권 4,800장을 구입하셨습니다.]

역대 최고로 많았던 다이아가 단숨에 사라진다. 그리고 그렇게 나온 소환권을 아르데니아로 보내고 나서야 안도의 한숨을 쉬었다.

‘그나저나 4,800장이라니.’

어마어마한 양이다. 매일매일 24시간씩 쉬는 날 하나 없이 다섯 달을 일해야 벌 수 있는 돈을 몽땅 쏟아 부었으니 당연한 일.

“아니, 근데 진짜 뭐지?”

일단 다이아를 다 써 버리니 좀 진정이 된다.

아니. 사실은 진정되지 않는다.

쿵. 쿵.

심장이 뛴다. 돌아보니 약간 흥분 상태이기도 하다. 돈이라는 요물의 힘이다.

"나 참. 아르데니아에서는 수천수만의 사람들을 이끄는 내가 이렇게 새가슴이라니."

그러나 어쩔 수 없다. 4,800만 원이라는 돈은 내게 돈 그 이상의 가치가 있었기 때문이다.

'이거면…… 5천의 정예병을 확보할 수 있다!'

그들은 일반적인 병사들과는 차원이 다른 존재가 될 것이다. 그들 모두에게 장비, 스킬, 레벨이 주어지게 되면 그들은 모두가 [플레이어]로서 역량 이상의 힘을 가지게 될 테니까.

나는 다시 거래소를 살펴보았다.

"헉!"

최저가 680다이아.

"아니 더 오른다고!?"

너무 깜짝 놀라서 귀환서를 살 뻔했다.

그러나 이미 다이아를 클래스 소환권을 사는 데 다 써서 그러지 못한다.

"아니, 아니 이게 뭐야…… 왜 더 오르지?"

황당해하는 와중에 680다이아짜리 귀환 주문서가 다 팔려 사라졌다.

최저가가 700다이아가 되었다.

"……미친."

당혹스럽다. 너무 놀라 당장, 그것도 가격을 낮춰 팔았는데 이게 무슨 일이란 말인가?

"아! 좀만! 좀만 있다가 팔걸!"

머리를 쥐어뜯으며 침대 위를 뒹굴었다. 700다이아! 700다이아라니! 아니 10다이아였던 게 왜 거기까지 오른단 말인가?

"아니, 뭐가 있나……?"

문득 그런 생각마저 들었지만 이미 다 팔아버린 상황이니 어쩔 수 없는 상황이다. 그렇다고 이제 와서 다시 들어간다?

있을 수 없는 일이다. 이미 주식. 아니, 귀환 주문서 가격은 올라 버렸으니까!

"아!"

아쉬움에 탄식한다. 100원짜리를 6,000원에 팔았는데 아쉽다니 인간의 욕망이란 참 끝도 없다 싶었다.

"됐어! 이만하면 엄청 이득이지. 로그인!"

나는 고개를 흔들어 잡념을 떨친 후 집무실에 들어섰다.

그리고 한쪽에 있는 커다란 서책을 들어 올렸다.

[명부(名簿)]

그것은 고급스러운 가죽 커버로 치장된, 스마일을 닦달해 마법까지 건 물건이다.

“1,647명이군.”

그곳에는 나에게 임명되어 클래스를 얻게 된 수하들의 이름이 쓰여 있다. 맨 앞에는 당연히 스틸스톤이다.

1. 스틸스톤

임페리얼 나이트(영웅) 레벨 : 37

[수여]

클래스 : 임페리얼 나이트(영웅)

스킬 : 실드 오러, 배틀 크라이(고급), 실드 스턴(고급), 스트라이크(고급)

장비 : 엘리멘탈 블레이드(희귀)+6 풀 플레이트 아머(희귀)+6……

[헌상]

12,000명예 코인.

170,000골드

거기에는 수하들의 기본적인 정보와 내가 지금껏 그들에게 수여(授與)한 아이템, 그리고 그들이 그 대가로 헌상한 명예 코인과 골드가 기록되어 있다.

‘사실상 장부지 뭐.’

나는 그렇게 생각했지만 수하들은 그렇게 생각하지 않

았다. 새로 받아들인 수천 병사들의 꿈이 바로 클래스를 얻어 이 명부에 이름을 올리는 것이니 더 말해 무엇 할까.

"일단…… 1,400명을 더 받아서 정예병을 3천에 맞춰야겠다."

그러나 급하게 할 일은 아니었다. 클래스를 마구 뿌리면 소환 카드가 아무리 많아도 낭비되고 말 테니까.

똑똑.

노크 소리 후 플라워가 집무실로 들어온다.

"지시를 전달했습니다. 1시간 안에 출장 준비를 마치고 집결하겠다고 합니다."

"여기 들렀다 갈 필요 없으니 바로 서문으로 출발하라고 해. 폭시군을 만나면 적당히 거리를 두고 대기하라고 하고."

"네, 영주님."

플라워를 보내고 작업을 이어 나간다.

병사들과 다르게 나는 스카이를 타고 날아가기 때문에 조금 늦게 출발해도 된다.

"아, 그전에 먼저."

치링!

나는 클래스를 뽑았다.

치링! 치링! 치링! 치링!

마구 던진다. 카드깡은 10장씩 이루어지기 때문에 4,800장을 뽑는 것도 노동.

그리고 그 결과는.

"확률보다는…… 잘 나온 편인가?"

4,800장의 클래스 소환권 중 4,254장의 일반 클래스, 481장의 고급 클래스, 60장의 희귀 클래스, 5장의 영웅 클래스가 나왔다.

"일반 클래스하고 고급 클래스는 새로운 정예병을 만들 때 쓰면 되고…… 이제 문제는 희귀랑 영웅인가."

나는 내가 가지고 있는 희귀와 영웅 클래스 카드를 확인했다.

"희귀는 총 78장, 영웅은…… 6장이네."

잠시 고민한다.

문제는 이것이다.

희귀나 영웅 클래스를 받을 정도로 공(功)을 세운 이가 없다는 것!

나는 산타클로스가 아니니 상, 벌에는 이유가 있어야 한다.

"일단 기준부터 만들어야겠군. 그래…… 계급을 나눠야겠다."

내가 군필자였던 만큼 자연스럽게 그 기준은 현대군의 그것을 본 따 만들게 되었다. 지금도 십인대장, 백인대장, 천인대장이 있지만, 엄밀하게 말하면 그것은 직위지 계급이 아니니까.

"일단…… 병사는 일반병, 그러니까 군인이지만 클래

스가 없는 이들로 채워야겠군. 다만 그들이 경험을 쌓고 연차를 채워 병장(兵長)이 되면 클래스를 부여해 정예병이 되도록 하자."

나는 생각들을 메모지에 슥슥 적어 나갔다.

이등병 → 일반병. 체력 시험.

하사 → 30레벨 이상 + 하사관 시험

소위 → 35레벨 이상 + 마나 각성 + 장교 시험

소령 → 40레벨 이상 + 3클래스 마법사 or 오러 익스퍼트 + 영관 시험

준장 → 45레벨 이상 + 4클래스 or 오러 익스퍼트 상급 + 장성 시험

정리하는 것은 계급에 들어서는 기준이다. 같은 계열 안에서의 진급은 연차와 군공을 기준으로 진행할 생각이었다.

"이렇게 해서 병장과 부사관은 일반, 위관은 고급, 영관급은 희귀, 장성은 영웅, 이렇게 가야겠다."

물론 대략의 얼개일 뿐이다. 아까도 말했다시피 당장은 충분한 전공을 세운 이들이 없으니까.

"……."

잠시 가만히 있었다. 그렇다면 지금 당장 있는 희귀와 영웅은 어떻게 할 것인가? 나중을 위해 저장하나?

나는 마음을 결정했다.

“합성하자.”

치링!

합성된 카드가 하늘로 던져지고.

우릉!

“어?”

경악에 눈을 치켜뜬 여신상의 얼굴이 스쳐 지나간다.

“아니?”

―세계의 이치를 궁구하여 별을 헤아리나니.

―이제, 나는 법칙 그 자체가 되겠노라.

컬렉션 완성!

별의 마법사(스타 시커, 유성법사, 룬캐스터, 인챈터)

마법 공격력+1% 마나+5

“아직 희귀급은 합성도 안 했는데……”

나는 황당해 하며 클래스 효과를 확인했다.

[스타 시커(Star Seeker)(전설)]

마나+100 마나력+180 마나 회복력+100 생명력+60 항마력+60

마나 회복 속도 50% 증가.

[메모라이즈(memorize)]

[사우전드 인챈트(Thousand enchant)]

전설 클래스 획득!

기뻐 날뛸 일이었지만 애매한 기분이었다.

우려하던 사태가 벌어졌기 때문이다.

“스타 시커…… 마법사잖아…….”

리벤지를 꽤 해 온 나는 이제 안다.

초창기 때 검성을 바라고 뽑기를 했던 내가 얼마나 멍청했는지.

“딱 맞춰 뜰 리가 없지.”

전설 클래스의 숫자는 두 자리를 넘어 세 자리에 가깝다. 전설이 뜨는 것 자체가 힘든데 거기에서 딱 필요한 직업이 뜬다는 건 사실 말이 안 되는 일이리라.

“아, 근데 게임에서는 딱 검신 떴잖아! 차라리 거기서 마법사가 뜨지 왜 여기서……!”

억울해해 봐야 현실이 바뀌지는 않는다.

결국 스타 시커는 봉인.

아무리 전설 클래스가 좋아도 1클래스도 제대로 입문하지 못한 내가 쓸 수 있는 클래스가 아니다. 물론 스킬을 사다가 쓴다면 어떻게든 활용할 수 있겠지만 이미 내공 주입 검기 발현 등 온갖 스킬을 구매한 검왕을 이길 수는 없다.

“하…… 모처럼 전설인데.”

투덜거리며 집무실을 나선다. 입맛이 쓰다.

* * *

리벤지의 성들은 기본적으로 대형이다.

일반적인 게임들과 달리 [하우징] 시스템을 특수한 아공간에 할당하지 않고 현실 그대로 반영하기 위해 대단히 넓은 공간을 할애한 것이다.

‘덕분에 땅값, 건물값이 동일하지 않고 차이가 있지. 부동산 투기가 일어나는 미친 경우도 있을 정도라니 뭐…….’

기본적으로 만들어진 건물들은 대부분 1층짜리였지만 인터페이스에서 다이아를 지불하면 건물의 층수를 올릴 수도 있다.

문제는 다이아를 가진 플레이어가 나뿐이라는 것!

“아, 원래 성주면 다이아를 쓸어 담아야 하는데…….”

성 안에서 선택할 수 있는 옵션 중 상당 부분에 다이아가 들어간다.

건물을 구매하는 것, 건물을 업그레이드하는 것, 거래소를 이용하는 것, 길드 아지트를 지정하는 것까지.

성주는 그 모든 활동에서 [수수료]를 받아, 그것을 직접 사용하거나 길드에 투자하거나 길드성을 업그레이드한다.

"그런데 무과금이라니……."

그렇다. 아르데니아에 있는 플레이어는 모두 무과금!

내가 아무리 악독하게 세금을 거둬도 그 안에 다이아는 없다.

몇몇 플레이어가 호기심에 거래소에 아이템을 올리고는 했지만, 그것이 실질적인 거래로 이루어진 적은 단 한 번도 없다.

등록 수수료는 골드라도 구매는 무조건 다이아로만 가능했기 때문이다.

"뭐, 그래도…… 성이 크고 멋지니 참는다."

나는 영주성에서 도시를 내려다보았다.

말하자면 기획 도시에 가까운 형태의 스타팅은 모든 길이 직선으로 만들어져 구불구불한 골목길 따위는 존재하지 않는다.

대로는 중앙 광장을 중심으로 팔방(八方)으로 여덟 갈래. 길은 버스 두 대가 지나다닐 수 있을 정도로 길었다.

200층 300층짜리 빌딩도 수두룩 빽빽한 지구의 도시에 비하면 별것 아닐지 모르지만…… 지금 이 순간 스타팅은 이 대륙에서 가장 웅장한 도시 중 하나이리라.

'하지만 그렇다고 해도 받아들일 수 있는 인원에는 한계가 있다.'

내 판단에 스타팅에 적절한 거주 인구는 5만 명 안쪽이다.

다이아를 소모해 건물 층수를 올린다면 수백만 명도 우습게 수용할 수 있지만 상하수도도 제대로 구비가 안 되어 있는 도시에 거주 공간만 늘려서 뭘 하겠는가?

이곳의 인간은 대소변도 안 보고 음식을 안 먹어도 살 수 있는 게임 아바타가 아니다. 성 밖에 부속 도시를 만들 게 아니라면 결국 수용 인원에는 한계가 생길 수밖에 없으리라.

"결국 다른 도시로 분산해야 한다는 말인데…… 하. 이제 귀환 주문서가 없단 말이지."

내 원래 계획은 피난민들이 스타팅에 들여보내지 않고 바로 다른 성으로 보내는 것이었다.

내가 스카이를 타고 다른 성에 들러 귀환 포인트를 잡은 뒤 스타팅에 들르지 않고 피난민들을 만나면 싹 다 보내 버릴 수 있었으니까.

그러나 이제 그럴 수 없으니…… 그냥 스타팅에 받아들이는 방향으로 가야 한다.

'나중에 정예병을 포함한 이민단을 만들어 비어 있는 옆 용맥으로 보내야겠다.'

그렇게 생각을 정리하고는 스카이를 소환한다.

펄럭!

땅을 박차고 날아올라 서쪽을 향해 비행을 시작한다. 조금 날다 보니 기승 펫을 타고 서쪽을 향해 진군하고 있는 300명 안팎의 병사들이 보인다.

척!

"아, 저것들이 굳이 저럴 필요 없다니까……."

나는 하늘을 향해 예를 취하는 병사들의 모습에 고개를 절레절레 흔들었다.

내가 직업을 나눠 주고 식량을 뿌리고 성을 업그레이드하는 일이 반복되면서 부하들이 날 신성시하는 모습이 점점 강해지는 것이 느껴졌기 때문이다.

'하긴 그럴 만한가.'

신성 제국의 성자와 성녀는 별 것 아닌 치유 능력 하나로 신의 대리자라고 추앙받는다.

거기에 비교하면 내가 발휘하고 있는 능력들은 충분히 권능(權能)이라 불릴 만하겠지.

요새 수하들이 칭왕(稱王)을 해야 한다느니 칭제(稱帝)를 해야 한다는 게 바로 그 이유이다.

"칭왕이라……."

하늘을 날며 중얼거린다.

"하긴 해야겠지."

아르데니아의 기존 세력들은 그야말로 괴멸에 가까운 피해를 입었다. 인류가 용맥에만 사는 것은 아니니 인류가 전멸하거나 하지는 않겠지만 국가라는 시스템을 유지할 정도는 아니었다.

그리고 그런 상황에서…… 크롬 왕국의 남작이라는 신분은 하등 쓸모가 없다.

한 브론즈소드 남작.

여기서 [브론즈소드]라는 성은 그저 [실버소드]보다 한 단계 낮다는 의미가 아니다.

도망자, 화전민, 범죄자 무리들로 이루어진 산적 무리들은 제대로 된 기반 시설도, 자원도, 기술자도 없기 때문에 강철은커녕 철로 된 무기도 쓰기 어렵다.

결국 그들이 일반적으로 사용하는 것이 바로 청동(青銅).

즉, 브론즈소드 남작이라는 명칭이 의미하는 것은.

'산적 남작이다.'

내가 세운 막대한 전과와 실질적인 무력을 무시하지 못해 귀족의 자리를 넘겨주었지만, 귀족도 왕국도 나에 대한 경멸을 감출 생각이 없었다.

지금은 영주성의 깔개가 되어 있는 늑대왕 아칼란에게 전임 남작들이 줄줄이 죽어 나가지 않았다면, 애초에 내가 영주가 될 일도 없었을 것이다.

"아, 슬슬 보이는군."

나는 멀리서 무리를 이루어 걸어오고 있는 한 무리의 군세를 바라보았다.

가장 앞에서 길을 열고 있는 기병들과 그 뒤를 따르는 검보병. 제법 충실히 무장을 갖추고 있는 중보병과 기다란 장창으로 무장한 창병들까지.

"수도를 버리고 도망친 것치고는 꽤 멀쩡해 보이네."

하기야 규율이 완전히 무너져 내렸다면 수백 킬로미터

나 이동해 스타팅으로 향하지 못했을 것이다.

"……아니, 잠깐."

그러나 병력 사이사이에 얼핏 보이는 투석기(Catapult)의 모습은 아무리 생각해도 이상하다.

다시금 군대를 쭉 훑은 나는 이상한 게 그뿐이 아니라는 사실을 깨달았다.

'이건 침략군이잖아?'

피난민들이 자의로 군대를 따라오는 게 아니라 병사들이 붙어 강제로 전진시키고 있다. 간혹 너무 지쳐 쓰러지는 이가 있으면 채찍질도 서슴지 않는다.

'피난민이 아냐. 일종의 농민병, 혹은 노예병이다.'

피난민이 군대를 뒤따르는 형태가 아니라 군대의 중간에 끼어 있다는 점에서 더욱 그렇다

"침략군이라니!"

스카이를 타고 주위를 빙빙 돌면서 정보를 수집한다.

"이건. 너무……."

그리고 웃었다.

"……좋은데?"

나는 즉시 스카이를 몰아 말을 달리고 있던 정예병들 앞에 내려섰다. 맨 앞에 있던 스틸스톤이 말의 배를 가볍게 차 속도를 죽이고는 예를 표한다.

"충! 정찰하고 오셨군요."

"그래."

나는 스카이를 돌려보내고 명마 날파람(고급)을 소환했다. 마치 마술 같은 광경이지만 이 자리의 누구도 놀라지 않는다.

애초에 이 자리에 있는 모든 말이 다 펫이기 때문이다.

'펫들이 보급되니 편하긴 하군.'

내 세력의 모든 플레이어들은 오직 나 한 명의 과금에 기대는 기형적인 플레이 구조를 가지고 있다.

그러나 그것이 내 일방적인 손해라는 말은 아니다.

'그 이상으로 명예 코인과 골드를 회수하고 있지.'

원래는 거래가 불가능한 재화인 명예 코인이지만 [귀속]이라는 개념이 아르데니아에서 사라져 버리면서 모든 플레이어들의 명예 코인을 문자 그대로 쓸어 담고 있다.

클래스를 부여할 때 [1년 내에 3만 명예 코인을 헌상한다.]라는 조건을 걸어 두고 시작하는 건 물론이고 명예 코인을 대가로 고급 클래스. 펫 등을 팔아 주고 있으니 당연한 흐름이다.

'길드 상점에서 소환 카드가 만이천 명예 코인에 팔고 있었지.'

지금이야 클래스 소환 카드를 사느라 등골이 휘지만 길드 레벨이 충분히 올라 길드 상점에 소환 카드가 개방되면 상황은 달라질 것이다.

물론 길드 상점에서 파는 소환 카드(1일 1매 교환 가능)는 하급이라 일반~희귀 등급밖에 나오지 않지만 어차피 대부분의 정예병은 일반 클래스니 무조건 이득이다.

"잠시 주목."

"주목!"

말을 몰아 가까이 붙는 부하들에게 상황을 설명한다.

"호오……."

"침략군이라."

당연하지만 그 누구도 [적]의 등장에 겁먹지 않는다.

그럴 수가 없다.

여기 있는 이들은 빠짐없이 말. 그러니까 고급 등급의 펫을 가진 존재다.

매일매일 죽어라 고블린 던전을 돌아 30레벨을 넘기고 기사들에게 쾌진공을 배워 오러를 습득한 존재들.

스타팅의 핵심 전력이라 말해도 과언이 아닐 정도니 그 자부심이 하늘을 찌를 정도다.

"그럼 기사님과 마법사님 말고는 말을 돌려보내는 게 맞겠군요."

"무장도 칼 한 자루만 챙기고, 나머지는 인벤토리에 넣는 게 좋겠습니다."

나는 알아서 펫을 돌려보내고 장비를 정비하는 병사들을 살펴보았다.

'이 녀석들이 미래의 장교다, 이 말이로군.'

잠시 녀석들을 흐뭇하게 바라보다 고개를 끄덕인다.

"그럼 가서 무슨 소릴 하는지 들어 보지."

우리는 천천히 말을 몰아 서쪽으로 향했다. 꽤 멀리서 다가오는 무리와 접촉하기까지는 그리 긴 시간이 필요하지 않았다.

"정지! 신원을 밝혀라!"

앞을 가로막는 기마병들을 헌드레드가 상대한다.

"난 실버소드 가문의 헌드레드다. 스타팅에서 나왔다."

"스타팅?"

"본인들이 어딜 향해 가고 있는지도 모르는 건가?"

"아…… 레드 엑스 영지에 새로운 성이 생겼다던데 그 이름이 스타팅인 모양이군."

기마병을 이끌고 있던 덩치 큰 기사가 탐색하는 눈으로 우리를 둘러보더니 이내 피식 웃었다.

기사로 보이는 사람이 셋. 병사는 고작 300명 안팎에 무장도 그리 충실하지 않아 보일 테니 당연한 반응이리라.

"스타팅으로 접근하는 목적을 알고 싶다. 전령조차 온 적이 없는데 무슨 이유지?"

"그것은 갑자기 나타난 괴물 때문이다."

자기소개조차 하지 않은 기사는 뻔하디뻔한 말을 늘어놓았다.

갑자기 쏟아진 몬스터들 때문에 수많은 사람이 죽었다는 것. 이후 극도의 혼란이 찾아왔지만 폭시 왕국은 그 혼란을 수습하고 도시들을 규합하고 있다는 이야기까지.

"그래서 이렇게 병력을 이끌고 찾아오는 이유가 그 규합 때문이라는 건가?"

내 질문에 기사가 나를 바라본다.

"그건…… 그런데 네놈은 누구냐?"

능청스러운 목소리에 헌드레드의 눈이 서늘하게 빛난다.

"입을 함부로 놀리는군. 우리야말로 네놈이 누군지 모른다."

헌드레드의 말에 두 무리 사이에서 싸늘한 긴장감이 흐른다.

그러나 이내 기사가 호탕하게 웃으며 분위기를 풀었다.

"하하! 이거 미안하게 되었군. 나는 아이언실드 가문의 헤비맨이다. 너희 말대로 폐하께서는 주변 용맥들을 돌며 방황하는 세력들을 규합하고 계시지. 그 덕분에 스테이 자작령과 마크 공작령은 괴물 놈들을 빛의 기둥 안으로 몰아넣을 수 있었고! 이제는 방황했던 세력을 정비하여 추가 병력을 더 모아 폐하의 지휘 아래에서 수도 라모의 탈환을 위해 진군할 생각이지!"

녀석이 흥분해 목소리를 높였지만, 간부들은 물론이고 병사들까지 전혀 신경 쓰지 않는다.

잠시간의 고요.

결국 헤비맨은 무안한 표정을 지으며 입맛을 다셨다.

"이거 칙칙한 놈들이로군……."

"됐고. 폭시 왕과 대면하고 싶다. 스타팅에 용건이 있다면 제대로 된 조건이 있겠지."

내 말에 헤비맨의 얼굴이 일그러진다.

"……너, 국왕 폐하가 아무나 만날 수 있는 분인 줄 아나?"

"아무나는 아니지. 내가 스타팅의 성주니까."

"뭐?"

내 말에 헤비맨이 깜짝 놀란 표정을 짓더니 내 얼굴을 가만히 뜯어본다. 그리고 이내 뭔가를 깨달은 듯 환하게 웃었다.

"하하하! 이거 호탕하신 분이었구먼! 성에 박혀 있을 줄 알았는데 직접 찾아오시다니! 잠깐만 기다리게. 내가 바로 보고하지! 스톤! 모시고 천천히 따라와라."

헤비맨이 말을 달려 본대로 돌아간다. 우리는 기병들을 따라 들어갔다.

"저들은 누구지……."

"우리가 지금 쳐 들어가는 곳의 성주라는데……."

"누가 떠들어! 고개 숙이지 못해!?"

병력 한가운데를 가로질러 가는 우리를 두고 수군거리는 피난민들을 병사들이 윽박지른다. 그들이 괜한 소리를 해 우리가 달아나는 상황을 막고 싶은 모양이다.

그러나 8만 명이나 되는 피난민의 입을 완전히 막지는 못했고 개중 몇 명의 중얼거림이 내 귀에 전해진다.

"아니, 그런데 성이 있으면 성에서 기다리면 되지 왜 맞이하러 온 거지……?"

당연한 의문에 나도 모르게 웃는다.

'왜긴. 영웅 등급의 성을 보면 조심할 게 뻔하니까 그렇지.'

만일 그들이 이대로 행군해 스타팅에 도착하면 어떻게 될까?

공성? 투석기?

정말 웃기지도 않는 소리다.

영웅 등급까지 강화된 스타팅의 성벽은 그 높이만 해도 40미터로 어지간한 아파트 13층에 맞먹고 그 두께는 아파트보다도 더하다. 성벽 위도 2차선 도로만큼 넓어서, 버스가 다닐 수 있을 정도인 것이다.

거기에 해자의 깊이는 어떠한가?

농담이 아니라 추락사를 걱정해야 할 정도.

그들이 아무리 머저리라도 그런 성을 보게 되면 선불리 덤빌 리가 없다. [합리적인] 방식으로 [절차를 지켜] 접근하려고 하겠지.

그리고 우리 입장에서.

상대가 그렇게 나오면 더 피곤하다.

'내가 괜히 이 정도만 이끌고 온 게 아니란 말이지.'

스타팅의 인구는 과거와 비교할 수 없을 정도로 늘었고 그들 중 꽤 유의미한 숫자가 군인이다.

다른 영지와 달리 스타팅과 와일드 보어는 농사에 많은 인원을 할애할 필요가 없기 때문이다.

즉, 쥐어짜면 상당한 군대를 긁어모을 수 있음에도 나는 간부들에게 기승 펫을 가진 정예병을 300명 안쪽으로만 끌고 나오라고 했다.

우습게 보이기 위해서다.

"스타팅의 성주! 늑대기사 한 브론즈소드 남작이 찾아왔습니다!"

병사 중 하나가 우렁차게 외치자 기사 몇이 내 앞으로 다가온다.

"폐하께 안내해 드리겠습니다. 무장을 해제해 주십시오."

"무장이라니 그런 거 없는데?"

"……어?"

기세등등하게 다가왔던 기사들은 태연한 내 반응에 당황했다. 그들은 어이없는 표정으로 내 몸을 수색했지만 걸치고 있는 것은 평상복뿐이다.

어차피 장비들은 다 인벤토리에 있었기 때문이다.

'사실 장비가 없어도 상관없지.'

"들어가도 되나?"

"아니, 무장도 없이 찾아왔단 말이오?"

"뭘 무장씩이나."

피식 웃으며 앞으로 나선다. 역시나 비무장인 스틸스톤과 헌드레드가 그 뒤를 따른다.

"오! 정말이군. 기억이 나. 그 산적 두목 아니야?"

도착한 곳에는 턱수염이 수북한 사내가 기다리고 있

다. 떡 벌어진 어깨에 근육질인. 그러나 튀어나온 뱃살만은 어쩌지 못한 중년.

“정말 찾아왔군요. 세상에.”

“그래, 정말. 정말.”

점점 주위로 기사와 병사들이 몰려드는 모습이 보인다. 나는 물론이고 저 멀리 있는 300명의 정예병들까지 빼곡하게 포위되고 있다.

“정말 이렇게 멍청할 줄이야!”

“하하하하! 상상을 초월하는군요! 늑대 같은 놈이라고 들었는데 다 헛소문이었군! 설마 이 정도의 머저리였다니!”

여기저기에서 웃음이 터져 나온다. 기사들이 슬쩍슬쩍 검을 뽑아 들며 흉흉한 미소를 짓는다.

“하하하하! 이렇게 날로 먹게 되다니. 역시 야만인 놈은 어찌할 수가 없군!”

“설마 지금 이 행동이 사내답고 남자답다고 느낀 건가? 크하하하하!”

너무나 신난다는 듯 폭소하는 사내들.

그리고 그런 그들을 보며.

“하하.”

나도 웃었다.

소설, 만화, 영화, 드라마로 보면 주인공이 그렇게 힘을 숨겨 댄다.

힘숨찐(힘을 숨긴 찐따)라는 비아냥을 들을 거라는 사실을 모두가 아는데 왜 자꾸 힘을 숨기나? 어차피 끝까지 숨기지도 않을 거면서 왜 약자 코스프레를 하나?

그러나 클리셰라는 건.

'먼저 맞아야……'

다 그만 한 이유가 있는 법이다.

'쥐어 팰 명분이 생기는 법이니까!'

* * *

20년 동안.

참 많이도 싸웠다.

영문도 모르고 끌려온 야만의 세계는 사람 목숨이 동전 하나만도 못한 곳이었다. 장난으로, 혹은 기분이 상했다고 사람을 죽이는 미치광이들로 가득 찬 인세의 지옥.

사람을 죽이면 그가 설사 대통령이라 해도 교도소에 가야 하는 세상에 살던 내게 여러모로 받아들이기 힘든 장소였지만……. 나는 아르데니아로 넘어온 지 10초 만에 이곳이 지구와 얼마나 다른지 알 수 있었다.

평민 사냥.

귀족들의 유희거리 중 하나다. 어떤 특별한 사이코패스가 벌인 사건이 아니라 꽤나 광범위하게 퍼져 있는 [문화].

'꽤나 많은 귀족들이 친교를 다지기 위한 레저 스포츠로 평민 사냥을 즐긴단 말이지.'

그들을 모조리 죽여 버린 일은 내가 알고 있던 세계가 박살 나 버릴 정도로 충격적인 사건.

'하지만 시작에 불과했어.'

귀족 자제들은 좋은 장비와 충분한 금화로 이계 생활의 밑천이 되어 주었지만 동시에 끝없는 은원(恩怨)의 소용돌이에 날 밀어 넣었다.

난 싸우고 또 싸워야만 했다.

부랑자들과 싸우고, 범죄자들과 싸우고, 병사들과, 귀족들이 보낸 추격자들과 싸웠다.

그리고 무엇보다.

'뭔가 그립군.'

기사들과 싸웠다.

내가 아르데니아에서 완전히 자리 잡고 내 이름이 유명해지기 시작하면서 기사와 싸울 일은 점점 더 많아졌다. 나를 고까워하는 귀족이 가면 갈수록 늘어 갔기 때문이다.

매일이 대련과 결투의 연속.

심한 날은 하루에 다섯 명의 기사와 싸운 적도 있다. 아침 먹고 둘, 점심 먹고 둘, 자기 전에 하나 더.

결과적으로 나는 지금껏, 칠십이 넘는 기사와 싸웠고.

단 한 번도 지지 않았다.

'졌으면 죽었겠지.'

기사란 살아 움직이는 전쟁 병기이며 명예에 목숨 거는 살인광들이다.

나는 크롬에 소속된 이후 적보다 더 많은 아군과 싸웠으며, 그중 단 한 번이라도 패배하거나 중상을 입었다면 결코 살아남지 못했을 것이다.

'참 엿 같은 나날이었는데 그게 그리워질 줄이야.'

하루하루 칼날 위를 걷는 나날이었다.

내가 언제 죽을지 나조차도 몰랐다.

조금만 피곤해 보여도, 조금만 지쳐도, 기사들이 결투를 걸어 댔으니 살아남은 게 용할 지경.

나는 살아남기 위해 매일같이 무(武)를 궁구하였다.

태극권, 아라한 신권, 천혼검결, 구십구광검세, 섬전칠검…….

천룡검공, 역근세수경, 쾌진공, 광마공, 명왕공.

내가 내공을 제대로 못 다루지 무(武)에 대한 재능이 모자란 게 아니다.

'만약 그랬다면 숙지하고 있는 심법이 다섯 개나 될 리는 없었겠지.'

어떻게든 무공을 익히고 싶어 틈만 나면 도서관을 뒤지고 마이튜브를 보던 나날이 수라장과도 같은 이계 생활에서 내 목숨을 지켜 주었다.

낮에는 피를 땀을 흘리며 싸우고.

밤에는 온갖 무학의 이치를 궁구한다.

익히고 있는 심법이 쓰레기라 해도 기사는 오러를 깨우친 초인.

알고 있는 모든 무학을 쪼개고 쪼개 내공이 최대한 소모되지 않는 자기류(自己流)로 승화시키지 못했다면 내가 어찌 지금까지 살아 있을 수 있었을까.

척!

병사들 사이에서 큼지막한 크로스보우를 들고 있는 석궁병이 모습을 드러낸다.

이미 장전되어 있는 볼트는 잘 관리된 듯 날이 시퍼렇다.

"푸하하하하! 늑대 기사. 위명이 쟁쟁하더니 결국 산적놈일 뿐이군! 하긴! 야만인의 피가 어디 가겠나!"

"정말 멍청하구나! 여기가 어디라고 제 발로 기어들어와?"

폭소하고 또 폭소했다. 나를 경멸의 눈으로 바라보고 마구 비웃고 있다.

나는 그 꼴을 가만히 바라보다 그들 중 세 명을 골라냈다.

"너, 너, 그리고 너."

태연한 내 모습에 웃고 있던 폭시 왕과 기사들이 웃음을 멈춘다.

나에게 지목당한 기사가 인상을 굳히고 묻는다.

"늑대 기사, 나에게 용무라도 있나?"

훤칠한 키에 잘생긴 얼굴을 가진, 험악한 인상의 다른 기사들과는 전혀 다른 분위기를 가진 미공자에게 답한다.

"너희 셋만 부끄러워하는군."

"……!"

내 말에 지목당한 셋은 물론이고 기사들과 폭시 왕까지 안색이 변한다.

만일 내가 그들에게 비겁하다고, 어떻게 이럴 수가 있냐고 소리쳤다면 그들은 더 크게 비웃으며 나를 깔보았을 것이다.

그러나 내가 이토록 태연하게 그들의 허물을 집어내니 오히려 크게 동요하는 게 느껴진다.

"이 야만인 새끼들아……."

그리고 그런 그들을 보며 깊게 한숨을 내쉬었다.

"내 얼굴도 알아보면서 나에 대한 소문은 못 들어 봤냐? 너희가 얼마나 명예를 모르는지, 얼마나 치졸하고 비겁한 쓰레기인지 내가 어떻게 모를 수가 있겠어? 내가 더러운 꼴을 몇 번이나 봤는데."

"……."

태연하게 늘어놓는 폭언에 모든 기사들의 얼굴이 험악하게 일그러진다.

그러나 인상 좀 쓰는 걸로 내 입을 막을 수는 없다.

"수도도 털린 것들이 기회라도 잡았다는 듯 군대를 일

으킨 건 어떤 면에서는 감탄스럽기까지 하다. 어쨌든 적극적으로 움직인 거니까."

"……."

"하지만 그 와중에 다른 곳이 살 만하다고 욕심내는 건 대체 어떤 머저리의 판단이냐? 자기네 수도를 박살 낸 괴물들의 정체가 뭔지, 지금 대륙이 어떤 상황에 처했는지도 모르면서 같은 인류를 향해 칼을 뽑아 들다니……. 그야말로 코앞만 보는 어리석음이다."

"……."

나를 죽일 듯 노려보는 수십 개의 눈을 보며 한탄했다.

"명예만 없는 게 아니라 지능도 모자라다."

"네! 이놈!!"

마침내 참지 못하고 기사 하나가 앞으로 튀어나온다. 이제 보니 아까 나를 이곳으로 안내했던 헤비맨이다.

"아까 그 멍청이로군. 나를 여기까지 데려와 줘서 고맙다."

"죽-! 여 주마!!"

고함과 함께 검을 뽑아 달려든다. 나는 빈손으로 마주서서 말했다.

"난 죽이지 않겠다."

쐐엑!

전신의 무게를 실은 내려치기를 향해 왼손을 뻗는다.

턱!

"큿-!?"

날아들던 검을 잡아 그대로 비틀자 달려들던 헤비맨이 제 힘을 이기지 못하고 휘청인다. 그 와중에 검을 놓치지 않은 건 칭찬해 줄 만하다.

"이, 이, 이게 무슨……!"

찢어질 듯 치켜뜬 눈으로 용을 쓰지만, 검은 바위에 박힌 듯 미동도 하지 않는다.

지금의 내 근력은 지구에서도 보기 드물 정도.

설사 근력을 보조하는 장비가 없다 하더라도 이깟 녀석이 저항할 수준이 아니다.

"가급적."

"너, 무-!"

떵!

오른손으로 복부를 후려친다. 헤비맨은 덤프트럭에 치인 고라니처럼 날아갔다.

"쏘, 쏴!!!"

핑핑!

세 발의 볼트가 날아든다. 잘못 맞으면 갑옷도 뚫고 들어오는 위력이지만 소드 마스터의 검기도 맞으며 싸웠던 내게는 그저 우스울 뿐이다.

퍽퍽퍽!

"흑?!"

"아니 이게 무슨?!"

석궁 사수 셋이 어깨에 볼트가 박힌 채 뒤로 날아간다.

내가 너무도 간단히 볼트를 붙잡아, 되던지는 모습에 기사들이 경악하는 모습이 보인다.

팟!

"안 돼! 막아!"

"동시에 덮쳐!"

나아가는 내 앞을 갑주를 걸친 기사들이 가로막는다. 오러가 주입된 장검이 내 어깨와 다리를 노리고 휘둘러진다.

'고작 이 정도로군.'

그들이 형편없는 실력이라는 말은 아니다. 왕의 옆자리는 아무나 설 수 없을 테니.

그러나 너무 느리고.

약하다.

'정말 여러모로 격세지감이다.'

올라간 신체 스펙과 차크라의 보조.

그리고 스킬의 효과가 더해지자 세 살배기 아이와 싸우는 것처럼 녀석들의 공세가 완전히 파악된다.

"크?!"

휘둘러진 검을 왼발로 밟아 봉인하고 상체를 슬쩍 트는 것만으로 사선 베기를 빗겨 낸다.

그리고 진각(震脚).

땅을 단단히 디뎌야 한다. 힘은 괴물처럼 강해졌는데

체중은 그대로라서 조금만 중심을 잘못 잡아도 자세가 무너질 위험이 있다.

쾅!

옆구리를 친다. 두 번째 기사가 베게에 얻어맞은 고양이처럼 붕 떠올라 뒤쪽에 도열해 있는 병사들과 충돌한다.

퍽!

로우 킥으로 걷어찬다. 세 번째 기사가 바람개비처럼 빙글빙글 돌았다.

"느려!"

"흡!"

스틸스톤과 헌드레드도 어렵지 않게 적들을 상대하고 있다.

어느새 갑주를 걸치고 검까지 뽑아 든 그들을 상대할 만한 강자가 적어도 근처에는 없어 보였다.

"놈!!"

기사 중 하나가 방패를 들이밀며 달려든다.

쾅!

방패 중앙을 정확히 때려 주자 땅을 디디고 있던 다리가 수수깡처럼 부러지며 널브러졌다.

힘에서 압도적으로 밀리는데 속도까지 뒤떨어지니 타점을 흘리는 게 불가능하다.

"이 괴물 놈!!!"

"죽여 버리겠다!!"

일방적인 전투였지만 기사들은 물러서지 않았다. 여러 가지 이유가 있을 것이다.

첫째로 내가 아무리 강하더라도 이 힘을 발휘할 수 있는 시간에는 한계가 있을 거라고 예상할 것이다.

둘째로 주변을 완전히 포위하고 있는 1만 5천의 병사들과 수십 명의 기사. 그리고 십수 명의 마법사라면 수의 폭력으로 이겨 낼 수 있다고 믿겠지.

물론 그건 큰 착각으로, 나는 오직 맨주먹으로 녀석들 모두를 쳐 죽일 수 있다. 체력의 한계가 있지만 그거야 지구를 오가면 해결될 문제니까.

그러나 나는 그러는 대신.

바닥에 떨어져 있던 검을 주워들었다.

[검기 발현]

번쩍!

일검을 흩뿌리자 다가오던 검, 방패, 볼트 모두가 잘려 바닥을 뒹군다. 전의를 불태우며 달려들던 기사들 모두가 내 검을. 정확히는 그 검을 뒤덮은 검기를 보고 신음한다.

"오러…… 블레이드?"

"소드 마스터."

"우, 웃기지 마! 그건 전설일 뿐이야!"

"하지만 저건……."

멈춰 선 기사들 사이를 가로지른다. 어느새 나는 내 쪽을 향해 악을 쓰던 사내의 앞에 도착해 있었다.

"너, 너, 네놈…… 어떻게……."

폭시 왕국의 국왕 화이트 폭시가 창백해진 얼굴로 말을 더듬는다.

씨익.

녀석을 보며 웃어 주었다.

그러자 화이트 폭시도 어색하게나마 웃는다.

"하, 하, 하……. 저, 정말 대단하군! 이, 이런 무용은 정말 상상도 못했네! 나는……."

뭔가 주절거리기 시작하는 화이트 폭시.

나는 녀석을 바라보다가.

빽!

명치를 때려 주었다.

* * *

모여 있던 모든 기사와 마법사, 지휘관은 물론이고 왕까지 사로잡았다.

여전히 일만오천에 달하는 폭시군이었지만 지휘관이 싹 다 잡혀 버리자 어쩔 줄을 모른 채 우리가 가는 대로 따라왔다.

일개 지휘관 중 하나가 아니라 일국의 왕. 그리고 그 아래 모든 귀족이 다 사로잡혔으니 당연한 일이다.

나는 그들을 이끌고 스타팅에 도착해 서문 근처에 천막을 치게 했다.

아무리 전력에 차이가 나도 전체 인구보다 더 많은 피난민을 성안으로 들일 수는 없기에 한 선택이었다.

'결국 길바닥에 나앉은 셈이지.'

그러나 그럼에도 피난민 중 누구도 불만을 토하지 않는다.

"자자! 고깃국은 얼마든지 있으니 다투지 말고 받아 가세요! 다 드시고 다시 가져가셔도 됩니다!"

"인력이 부족하니 통구이는 불가에서 직접 구워 드세요! 대신 음식물을 남기거나 버리시는 분들에게는 벌점이 부가됩니다!"

"가죽 코트도 받아 가세요! 날씨가 춥습니다!"

피난민들은 물론이고 폭시군의 병사들까지 나란히 줄을 서서 뜨끈한 국물을 떠 가고 있다. 믿을 수 없다는 표정으로 고깃국을 바라보고 있는 사람.

정신없이 그것을 퍼먹고 다시 받으러 가는 사람. 한 입 떠먹고 눈물을 줄줄 흘리는 사람들로 성문이 떠들썩하다.

"이게…… 무슨. 이 많은 인원에게 고깃국을 먹인다고?"

무장을 해제당한 채 억류되어 있던 화이트 폭시가 믿을 수 없다는 듯 눈을 비볐지만, 그렇다고 현실이 변하지는 않는다.

"몸값을 받는 대로 너와 귀족들은 풀어 줄 거다."

녀석과 마주 앉아서 고깃국을 먹다가 여상한 목소리로 통보한다. 녀석을 풀어 주는 것은 처음부터 생각하던 바였다.

적국의 국왕을 붙잡는 것은 단박에 전쟁을 승리로 이끌 정도로 어마어마한 전과이지만 폭시 왕국 따위는 우리의 적이 될 수 없는 상황이다.

"고작…… 고작 목재와 석탄을 받고 우릴 풀어 준다는 말이냐?"

"고작이라니. 마차로 100대 분량인데. 배불뚝이 중년 하나의 값으로 후하기 짝이 없지."

"그게, 무슨……."

폭시 국왕이 황당해했지만 틀림없는 사실이다. 녀석 따위를 인질로 잡아 봐야 별 이득도 없이 리스크만 지는 셈이니까.

"다만 피난민들은 돌려보내지 않을 것이다. 보아하니 그들을 지키지도 이끌지도 못하는 모양이니까. 그리고 그것은."

나는 그대로 말을 이었다.

"병사들도 마찬가지다."

"그게 무슨!!"

화이트 폭시가 책상을 후려치며 벌떡 일어나자 주위의 시선이 모인다. 나와 녀석의 회담 아닌 회담은 완전히 공개된 장소에서 이뤄지고 있었다. 그 흔한 가림막조차 없으니 우리의 대화는 주변 병사들과 피난민들에게 그대로 전해지고 있다.

그리고 그렇게 몰려든 시선 속에서 태연히 말한다.

"강제는 아니다. 모든 병사에게 의향을 물을 것이고, 돌아가겠다는 녀석들은 돌려보낼 것이다."

"개소리! 네놈이 감히! 감히……!"

"아니면."

흥분한 녀석의 말을 끊었다.

"대가리 전부를 처형하고 포로로 붙잡을까?"

"……!"

더 말을 잇지 못하고 멈칫한다. 그 모습에 내심 놀란다.

'눈치가 없지는 않군.'

여기서 개소리를 했으면 정말 그렇게 할 생각이었는데 귀신처럼 수그린다. 하기야 왕족이어도 이 야만의 세상에서 눈치 없이 살아남을 수는 없겠지.

그리고 그렇게 주변이 침묵에 잠겼을 때.

메이드복을 입은 플라워가 내 곁에 다가온다. 그녀의 뒤에는 태평(일반)이라는 이름의 나귀와 검은 소(일반), 흰 소(일반)가 끌고 있는 수레들이 있다.

"성주(城主)님, 멧돼지 고기가 떨어졌습니다."

그녀의 말에 나와 화이트 폭시와의 대화에 집중하고 있던 피난민들이 신음하는 소리가 들린다.

"헉! 고기가 다 떨어진 건가?"

"너무 많이 먹긴 했지……."

"엄마, 그럼 이제 고기 없는 거예요?"

"조용히 해. 많이 먹었잖니!"

"그런데 그럼 이제 어쩌지……."

당황하는 피난민을 보며, 나는 가볍게 한숨 쉬고는 플라워를 바라보았다.

잘 먹고 스텟까지 높아져서인지 윤기 있는 적발에 녹색의 눈동자를 가진 그녀가 나를 바라보고 있다.

나는 눈으로 물었다.

'이 퍼포먼스 꼭 해야 해?'

그녀가 눈으로 답한다.

'반드시 필요합니다.'

"다 떨어졌다니 더 줘야겠지."

"감사합니다, 성주님."

대화를 나누는 우리 모습을 피난민과 병사들이 영문을 모르겠다는 표정으로 바라보고 있다. 당연한 말이지만 이미 상황을 알고 있는 스타팅의 병사들은 자부심 넘치는 표정으로 자리를 지킨다.

그리고 그들의 앞에서-

'어디 보자……. 인벤토리.'

그대로 손을 뻗었다.

턱!

"어? 허공에서 고기가……."

"뭐지?"

나는 사람들이 당황하거나 말거나 인벤토리에서 계속 멧돼지 뒷다리를 꺼냈다.

턱. 턱. 턱.

턱. 턱. 턱. 턱!

내려놓는다. 계속 내려놓는다. 순식간에 수레 하나가 가득 차고 다음 수레도 고기를 쌓아 간다.

그렇게 두 번째 수레도, 세 번째 수레도 차오른다.

"맙…… 소사."

"어떻게……. 이런 일이……."

고기를 꺼내 내려놓고, 또 내려놓는다.

그리고.

수많은 사람들이 그 모습을 지켜보고 있었다.

* * *

군 체계를 재정비한다.

미리 생각했던 대로 군대에 계급을 적용시켰다. 1,500명의 하사관과 500명의 장교를 임명하고 일반병도

31,000명까지 늘렸다.

'새로 받아들인 피난민과 병사들 덕에 일반병이 대거 늘었군.'

심지어 이마저도 지원자가 많아서 경쟁률이 어마어마 했다고 한다.

"헌터 소위, 지금 이 시간부로 너를 양몰이 연대(Regiment)의 최고선임이자 천인대장으로 임명한다. 너에게 희귀 클래스 스나이퍼(Sniper)와 고급 비전서 차징 샷. 그리고 원견의 장궁을 하사하니 언제나 물러서지 않는 투지로 자신의 사명을 다하라."

"충!"

"빅 맨 소위, 지금 이 시간부로 너를 깃발 연대(Regiment)의 최고선임이자 천인대장으로 임명한다. 너에게 희귀 클래스 창기사(Lancer)와 고급 비전서 돌진. 그리고 나이트 랜스를 하사하니 언제나 물러서지 않는 투지로 자신의 사명을 다 하라."

"충성을 다하겠습니다!"

"하드록 소위……."

"골드맨 소위……."

다섯 명의 천인대장을 임명했다. 기존에 있던 백인장 중 충분한 레벨과 기여도(명예 코인과 골드 진상)를 달성한 이들 중에서 선별했다. 마나를 각성해야 하고 충분한 연륜과 병사들의 지지가 있어야 했음은 물론이다.

그리고 기존의 천인대장이었던 소드맨은.

최초의 장성이 되었다.

"믿을 수가 없군요…… 제가 장군이라니."

사실 녀석의 경지는 장성의 기준에 한참 못 미치지만 인재가 부족한 현 상황에서는 녀석이 최적의 인선이다.

"대장은 대장인데 훈련대장이지. 겸사겸사 와일드 보어의 책임자이기도 하고."

멧돼지 던전이 위치한 와일드 보어는 가장 많은 일자리가 있는 성이었다. 식량과 가죽이 생산되는, 무엇보다 최외곽에 위치한 만큼 안정성까지 보장되는 요지.

때문에 나는 그곳에 훈련소를 만들어 병사를 양성하기로 했다.

"이 시간부로 너를 와일드 보어 교육대의 대장이자 만인대장으로 임명한다. 희귀 비전서 호령과 검은 늑대 전신 갑주. 희귀급 펫 그리즐리를 하사하니 맡은 바 역할을 다하라."

"크어엉!"

일어서면 신장이 3미터가 넘는 붉은 털의 곰의 모습에 지켜보던 모든 이들이 숨을 들이켰다. 소드맨 역시 놀란 눈으로 그것을 바라보다가, 이내 자세를 고쳐 예를 취한다.

"충성을 다하겠습니다."

이어서 기사들을 줄 세운다.

"나이트 스틸스톤. 지금 이 시간부로 너를 강철 방패 기사단의 기사단장으로 임명한다. 너에게 거친 미스릴 전신 갑주와 희귀 펫 스팅을 하사하니 맡은 바 역할을 다하라."

쿵쿵!

아무것도 없는 허공에서 강철로 만든 비늘로 온몸을 뒤덮은 코뿔소가 모습을 드러냈다. 승합차만큼이나 큰 녀석의 모습에 영지민들이 감탄하는 소리가 들린다.

"철갑 코뿔소!"

"영주님, 아니 성주님이 타고 다니셨다던…… 와, 정말 어마어마하다."

강철 방패 기사단에 87명의 기사와 217명의 예비 기사를 포함시켰다.

특이 사항으로는 4분의 3 이상이 여성으로 이루어져 있다.

"나이트 헌드레드. 지금 이 시간부로 너를 은십자 기사단의 기사단장으로 임명한다. 영웅 클래스 센티넬(Sentinel)과 희귀 펫 서리늑대를 하사하니 맡은 바 역할을 다하라."

은십자 기사단은 62명의 기사와 280명의 예비 기사를 포함시켰다.

"영광입니다."

"충성을 다하겠습니다!"

예를 취하는 두 기사. 스틸스톤이야 평소와 같지만 헌

드레드는 꽤 기쁜 듯 눈이 반짝거렸다.

특히나 송아지만 한 늑대를 보며 흥분을 감추지 못하는 듯했다.

"스마일. 지금 이 시간부로 너를 불꽃 마법 병단의 단장으로 임명한다. 영웅 클래스 엘리멘탈리스트(Elementalist)와 희귀 펫 샐러맨더를 하사하니 맡은 바 역할을 다하라."

'마법 병단'이라고 말하지만 서클을 만들어 마법에 입문한 42명, 교육 중인 이는 94명 중 제대로 된 마법사라고 할 만한 인원은 드물다. 단지 서클링을 수련하고 있을 뿐이니 스펠까지 익히려면 시간이 더 필요할 것이다.

"충분한 마법사가 육성되면 마탑을 세워 주지."

"몸이! 부서져라 일하겠습니다!"

자신의 앞에 서 있는 불의 정령을 보고 정신을 못 차린다. 영웅 클래스가 훨씬 대단한 가치를 가지고 있지만 눈에 보이는 건 펫이기 때문인 듯했다.

"플라워. 너를 시종장으로 임명하고 수호의 목걸이와 희귀 펫 팬서를 하사한다."

녀석은 일종의 비서실장 같은 역할을 맡게 되었다. 당장은 내정에 행정까지 손보는지라 눈코 뜰 새 없이 바빠서 글을 알고 있는 1,000여 명의 시종들을 붙여 주었다.

'리벤지가 한국 게임이라 문자도 한글인 게 천만다행이다.'

만약 문자 체계가 한글이 아니었다면 문맹률이 높아서 일 처리가 훨씬 힘들었을 것이다.

"추, 충성을 다하겠습니다."

엄청난 덩치를 가진 검은 표범의 등장에 살짝 겁에 질린 모습이었지만, 플라워 역시 차분하게 충성 맹세를 한다.

모든 과정이 끝나자.

"와아아아아----!"

"한재연! 한재연!"

"소드맨 님 축하드립니다!"

"아름다운 플라워 누님!"

환호성이 터져 나온다. 몇 만은 족히 되는 사람들이 마구 소리를 지르며 도열한 병사들을 바라보고 있다.

그들 눈에 담긴 동경과 신뢰. 그리고 도열해 있는 병사들의 얼굴에 담긴 자부심을 보자 마음이 간질거린다.

'크, 돈 쓸 맛이 나네.'

클래스, 장비, 스킬, 펫 등을 전에 없을 정도로 잔뜩 풀어 버렸음에도 전혀 아깝지 않다. 그만큼 내 [세력]의 힘이 강해진 셈인 데다…… 기뻐하는 수하들의 모습이 기꺼웠다.

너무 리액션이 좋아서 다음에는 펫 뽑기를 해야겠다는 생각이 들었을 정도다. 아무래도 눈에 더 선명하게 보이는 존재라 그런 듯했다.

'점점 자세가 나오는군.'

나는 1군 사령관이라는 자리를 만들어 앉았다. 칭왕을 하라는 부하들의 간언이 있었지만 아직은 시기상조. 대신 새로 만든 부대들을 다 내 직속으로 두었다.

'기사단과 마법병단은 아직 훈련을 더 해야 해. 교육대는 신병들을 훈련시켜야 하니…… 본격적으로 움직일 것들은 천인대들이다.'

나는 새로 만든 5개 천인대 중 둘. 그러니까 양몰이 1, 2연대를 전투 수송단으로 만들어 성과 성 사이를 오가며 물자를 옮기도록 했고 깃발 1, 2, 3연대는 점령단으로 만들어 잠시 방치해 두었던 새로운 성들을 차지하도록 했다.

'인구가 많아지니 이런 건 좋군.'

결론만 말하자면.

피난민은 물론이고 폭시군의 병사 중 태반이 스타팅에 남았다.

화이트 폭시는 노발대발했지만 그런다고 현실이 바뀌지는 않는다. 병사는 물론이고 피난민 전부에게 고깃국을 나눠 준 행위가. 그리고 무엇보다 고기 복사의 기적(?)이 폭시군에게 어마어마한 충격을 준 모양.

나는 새롭게 투항한 병사들을 일반병으로 받아들였고 심지어 1명의 기사와 2명의 책사도 받아들였다.

이제 막 받아들인 만큼 중히 쓰기는 어렵지만 각각 교육대와 영주성에 들여보냈으니 언젠가 쓸 만한 인재가 되어 제 역할을 하게 될 것이다.

"블루 해머 성 점령 완료. 피난민 1,500명을 받아들여 개중 400명을 신병으로 받아들이고 거주 지역을 분배했다고 합니다."

"야수성 점령 완료. 피난민 4,400명을 받아들여 1,100명을 신병으로 받아들이고 개간을 시작했습니다."

"지팡이 던전은 진행 중입니다. 800명 정도의 병력을 이끌고 있는 파트 남작이 권리를 주장하고 있다고 합니다."

"블루 해머 성과 야수성에 각각 정착민 일만에 식량을 전달시켜. 지팡이 던전에는…… 헌드레드를 보내라. 인원은 알아서 하라고 해."

로그아웃도 못한 채 한 달 가까이 집무실에서 일했다. 인구는 점점 늘어서 스타팅의 인구가 4만을 넘었고 와일드 보어 같은 경우는 7만을 넘겼다.

이제는 인구가 너무 늘어서 분배시키는 것도 일.

그러나 피난민들 사이에 섞여 있는 식자들을 받아들여 행정 인력이 충당되자 점점 체계가 잡히기 시작했다.

"이제 슬슬 틈이 나겠군."

"꼭 가셔야 하는 겁니까?"

플라워의 물음에 고개를 끄덕인다.

"비행형 펫을 가지고 있는 게 나뿐이니 별수 없지. 단독 전투력도 그렇고…… 걱정 말고 길드 녀석들에게 경험치 부지런히 벌라고 해. 6렙 찍어야 하니까."

"네, 성주님."

"문제가 생기면 거래소로 신호하고."

캐릭터는 있어도 계정이 없기 때문인지 [우편]과 [채팅] 기능이 잠겨 있어 멀리서 소식을 주고받으려면 거래소를 이용하는 수밖에 없다.

미리 약속을 정해 둔 물품을 등록하거나 뒷면에 글씨를 채운 귀환 주문서를 등록하거나 하는 방식이다.

"그래. 그럼 나중에."

펄럭!

거센 날갯짓과 함께 스카이가 날아오른다.

"충성!"

"충!"

예를 취하는 병사들의 모습을 보며 스카이를 제어한다.

목적지는 남쪽.

크롬 왕국의 수도 지마일이었다.

* * *

별다른 어려움 없이 지마일까지 날아올 수 있었다.

"뭔가 허무하네."

아무런 문제도 방해도 없었다. 중간중간 보이는 피난민 무리도 있었지만 주변에 별다른 위험이 없으니 내려가

도와줄 일도 없다.

"칸 슬래셔 녀석은 아직도 시달리고 있고."

녀석의 활약으로 버티고 있지만 전세가 압도적으로 불리하다. 화점의 몬스터는 엘리트가 워낙 많은데다가, 그게 아니더라도 상성에서 무조건 불리하기 때문이다.

꽤 오래 버티고 있지만 스페셜 보스. 얼음 여왕이 온다면 바로 함락당하고 말 것이다.

'가급적 그 전에 내가 착점을 먹어야 한다.'

그러나 그저 먹는다고 해결될 문제가 아니다. 성을 먹은 즉시 영웅 등급까지는 업그레이드해야 끊임없이 몰려드는 적을 상대로 수성전을 진행할 수 있기 때문이다.

즉, 결론은 뭐다?

'돈 벌어야지.'

지마일에는 그것을 위해 왔다.

휘오오오…….

남쪽으로 200km나 내려왔는데 날이 풀리긴커녕 점점 추워진다. 정상적인 기후는 당연히 아니고 화점에 자리 잡은 아이스 엘리멘탈들의 영향일 것이다.

'얼음 여왕은…… 없군. 오크 던전에도 안 쳐들어오고 있는 걸 봐서는……. 다른 쪽 던전을 침략하고 있는지도 모르지.'

주변을 둘러 본 뒤 천천히 하강을 시작한다. [수레바퀴] 마탑은 일종의 랜드마크였기에 금방 발견해 옥상에 내려설 수 있었다.

"난리도 아니었나보군."

마법사들도 마냥 당하기만 하지는 않은 듯 여기저기 아이템과 골드가 떨어져 있다. 무너진 건물들과 꽁꽁 얼어 있는 마탑.

'영하 40도는 넘겠는데?'

지금 계절을 감안하더라도 정신 나간 기온이었지만 나와는 상관없는 일이다.

[냉기의 수호 반지(희귀)+9.]

수많은 강화 실패의 강을 건너 마침내 얻어 낸 결과물이다. 딱히 온기를 내뿜는 것도 아닌데 이 반지를 끼고 있으면 조금의 추위도 느껴지지 않는다.

"아."

원하는 것을 찾기까지 그리 오랜 시간이 걸리지 않았다.

그럴 수밖에 없었다.

"소설책만 남았네."

수레바퀴 마탑의 도서관은 습격 당시에 혼란을 드러내듯 엉망으로 흐트러져 있었다.

바닥을 뒹구는 책들은 소설책을 비롯한 잡서들.

마법 이론서나 마법서, 백과사전 등은 마법사들이 몽땅 챙겨 가 책장이 휑하다.

덜컹.

빈 책장을 움직여 부서진 문과 차문을 막아 버리자 매섭게 불어오던 칼바람이 가로막힌다. 물론 그래 봐야 도서관 안쪽은 냉골이었지만, 냉기의 수호 반지(희귀)+9 덕택에 춥지는 않았다.

"어디 보자……."

나는 도서관에 남아 있는 소설책을 한쪽에 위치한 책상 위에 쌓아 놓은 뒤 그중 한 권을 집어 들었다.

"역시, 시작은 이게 좋겠지?"

내가 소드 마스터 이야기를 꺼낼 때마다 아르데니아 사람들이 하는 이야기가 있다.

[영주님, 그런 건 전설에서나 나오는 단어입니다.]

[오러 블레이드…… 소드 마스터?]

[미친 소리! 그건 전설이야!]

다들 소드 마스터라는 게 없다고 생각하지만 그럼에도 소드 마스터가 무엇인지 모르는 사람은 없다. 실제 소드 마스터를 본 적은 없지만, 그들 모두 [전설]을 들었기 때문이다.

샤인라이트 대제(大帝).

전설의 이름이다. 신성제국도 명 제국도 있기 전 대륙을 절반 넘게 차지했던 파티마 제국의 황제.

그리고 노예로 태어난 그가 마침내 황제가 되기까지의 과정을 엮어 낸 작품이 바로 [샤인 라이트 영웅전기]다.

'그나마 가장 현대적 감성에 맞는단 말이지. 가장 흔하기도 하고.'

아르데니아의 심법들은 너무 쓰레기라서 엔간한 재능 가지고는 경지를 올리기 어렵다. 삼재심법으로도 소드 마스터에 이를 수 있는 천재만이 경지를 올릴 수 있겠지.

샤인라이트 대제는 바로 그런 천재.

천재가 주인공인 성장물이니 어느 정도 반응이 있지 않을까!?

↳튀긴감자 : 노잼. 잘 쓰신 것 같은데 재미가 읎쓰여.

↳뀨뀨2020 : 아니 시발 5편이 넘었는데 아직도 프롤이네.

↳검사 : 아 왜 탈출 안하냐고. 노예생활 즐기냐고~

↳010* : 먼 내용인지 몰겠다**

↳뀨뀨2020 : 아니 시발 1권이 넘었는데 아직도 노예네 ㅅㅂ

↳노아 : 아니 세계관 ㅋㅋㅋㅋㅋㅋㅋㅋㅋㅋ 너무 ㅋㅋㅋ 약한 거 아님? 내가 지금 이 상태 이대로 넘어가도 다 죽여 버리고 왕 하겠네 ㅋㅋㅋㅋㅋㅋㅋㅋㅋ

↳뀨뀨2020 : 아니 시바 2권째인데 아직도 노예야 제목이 영웅전기 맞나? 나의 슬기로운 노예생활 아님?

혹시라도 리벤지 내부에 같은 내용의 소설이 있을까 싶어 표절 검사기까지 구입해 나온 결과물은 처참하기 그지없었다.

선작 수 191.

3권부터는 유료화했는데 평균 구매 수가 20을 넘지 못한다.

"하긴 잘될 리가 없지."

그러나 낙심하지 않는다. 내가 열심히 아이디어 짜고 문장을 고치고 한 글이 이런 반응이라면 속이 타겠지만, 어차피 베끼는 것 아닌가?

나는 다른 알바를 모두 하며 주말마다 샤인라이트 영웅전기를 연재했다.

처음에는 주말마다 2권씩 썼지만, 이내 4권씩 연재했다.

↳ㄲㄲ2020 : 와 노잼글 연재 속도 보소.

그렇게, 시간이 흘렀다.

12월 중순이 되었다.

샤인라이트 영웅전기는 총 400편, 그러니까 16권으로 완결되었다. 아르데니아에선 4권짜리였지만 옮겨 쓰고 보니 분량이 이만큼이나 된다.

"성과는…… 영 별로군."

초반 317까지 올라갔던 구매 수는 완결편에 이르러서는 한 자리. 정확히는 7까지 줄었다.

불행 중 다행이라면 나름대로 [후원] 기능을 사용하는 팬들이 붙었다는 것이다.

↳귚은뽀작해 : 잘 보았습니다! 인기 너무 없어서 불안했는데 끝까지 써 주셔서 감사합니다ㅜ_ㅜ

↳천마는우주우주해 : 요즘 트렌드하고 많이 안 맞는 글이긴 했습니다. 그래도 문장력이 좋고 서사가 탄탄하니 아주 만족스럽습니다.

↳정판마니아 : 아, 결국 샤인라이트는 운명을 이겨 내지 못했군요. 황제가 되어도 개인의 힘에는 한계가 있네요…… 초월자까지는 아니어도 17레벨 내공 사용자였다면 만독불침 정도는 노려볼 만했을 텐데…….

↳잠만자요 : 잘 봤습니다! 아무래도 이번 작품은 이미 다 써 둔 작품이라 완결까지 연재된 듯한데 이리 인기가 없으니ㅜㅜ 후원 보내드렸습니다! 힘내세요!

↳보들 : 앞으론 곁가지 쳐 내면서 쓰시면 몰입도 높아지고 전개 속도도 빨라지며 좋을 거 같아요!

↳뀨뀨2020 : 와 길게도 썼네

결과적으로 내 수중에 들어온 돈은 31만 원이었다.

적은 돈은 아니지만, 책을 16권이나 옮겨 쓴 보람이 있는 돈은 아니다. 주말에 하는 스턴트 알바 한 번에 백만 원 가까이 받는 현실을 생각해 보면 더욱 그러하다.

"뭐, 일단…… 투자라고 생각하자."

이제 겨우 한 달째. 나는 흔들리지 않고 다음 작품을 옮겨 썼다.

아르데니아에서 선풍적인 인기를 끌었던 [흑기사와 장미공주].

역시나 반응은 별로 안 좋았다.

↳ㄲㄲ2020 : 이걸…… 로맨스…… 라고…… 해야…… 하나…….

↳엄지공주 : 고구마 고구마 고구마 고구마

↳재벌 17세 : 아 주인공 너무 등신 같아서 도저히 못 보겠다

↳7클래스 : 주인공 기사 맞음? 노예 아님? 왕 말이면 다 들어야 함?

"……아니, 수호기사가 왕 말이면 당연히 다 들어야지. 그럼 개기냐?"

그리 많지도 않은 댓글조차 전부 욕!

나름 고르고 고른 작품인데도 이렇다는 사실에 한숨이 나오지만 어차피 예상했던 일이다.

"마니아층이라도 생기면 좋겠는데."

이번 작품도 주말마다 4권씩 연재했다. 그 이상 쓰기에는 시간이 모자라다. 이미 일정이 빽빽했기 때문.

그러던 중이었다.

"영화에 참여해 볼 생각 없어요?"

"영화요?"

"네. 요번에 스턴트가 한 명 필요하거든요. 대규모 전투씬인데…… 사용하는 장비들하고 마법기의 반동이 심해서 지원자가 모자라다는군요."

"반동이라……."

"이야기를 들어 보니 재연 씨가 그런 걸 잘 버틴다고 해서요."

뭔가 기회라는 느낌이었지만 내게 중요한 건 그게 아니다.

"얼마인데요?"

"이건 벌이는 얼마 안 돼요. 일당 20~30만 원 정도."

방송 작가의 말에 흥미가 확 식는 걸 느낀다.

'뭐야. 지금 하는 반의반인데?'

아무래도 위험 수당의 차이일 것이다. 지금 내가 하고 있는 스턴트는 말이 좋아 스턴트지, 호신 용품에 얻어맞는 샌드백 느낌이니까.

"대신 영화판에 인맥 만들기에 좋아요. 어쩌면 배우로 데뷔하게 될지도 모르잖아요?"

"에이. 그런 건 그쪽에 꿈 있는 사람들이나 하는 거죠. 저는 돈만 봅니다."

스리슬쩍 나를 열정 페이의 늪에 빠뜨리려는 작가의 제안을 거절하고 원룸으로 돌아와 다시 작업을 시작한다.

"로그인."

휘오오오------!

접속한 나를 사나운 바람이 반긴다. 나는 별생각 없이 책을 잡아 들었다가 페이지가 날리는 걸 보고 벌어진 책장을 잡았다.

저벅저벅!

가로막히는 창문 너머로 일렬로 죽 늘어서 전진하는 아이스 엘리멘탈들이 보인다. 그리고 그 사이 사이에 섞여 있는 엘리트 몬스터들.

"아이스 골렘, 하이 엘리멘탈. 예티랑 설녀인가……."

아이스 골렘과 하이 엘리멘탈은 희귀 등급이지만 예티랑 설녀는 영웅 등급의 엘리트 몬스터.

심지어 그 숫자가 많다. 그러니까 일반적으로 생각한 엘리트와 일반 몬스터의 비율을 생각해 볼 때 [납득이 되지 않을] 정도로 많았다.

"이거…… 잠깐 봐야겠군."

눈을 감고 내면세계로 들어가, 바둑판을 확인한다.

"아, 역시."

바둑판은 개판이었다.

"혼란의 도가니네……."

잠시 안 본 사이에 몬스터들의 세력에 큰 변화가 있었다. 내가 아직 얼굴도 못 본 수많은 몬스터들이 멸망해 사라져 버리고 그 자리를 다른 몬스터가 차지했다.

"이런, 아라크네가 끝장났네. 고급 천옷은 거의 이 녀석이 드랍하는데…… 게다가 포자 숲은 전설 등급 보스까지 있어서 강한 느낌인데 왜 털렸어?"

심지어 영웅급밖에 안 되는 [브라이트 반란군]에 털렸다. 뭔가 대륙 중앙부에서는 내가 상상도 하지 못할 격전이 벌어지고 있는 모양.

그러나 지금 당장 문제는 대륙 중앙부가 아니다.

"화점……."

아르데니아의 몬스터들은 대륙의 중앙부로 갈수록 레벨이 높아진다. 그 최고봉이 바로 천원에 위치한 신화급 몬스터인 망령룡 레플리.

그러나 중앙부로 갈수록 강해진다란, 이 법칙에는 일종의 예외 조항이 있는데, 그게 바로 화점이다.

'거의 전설에 가까운 영웅 등급. 속성계라 상성에서도 우위고 엘리트급과 보스급이 다른 착점과 비교할 수 없을 정도로 많지. 그리고 무엇보다…… 스페셜 레이드 보스가 존재한다.'

자, 상황이 이렇게 되면 어떤 상황이 벌어지는가?

'화점의 몬스터는…… 주변 다른 착점의 몬스터보다 일

방적으로 강하다.'

게임일 때는 그래도 상관없었다. 옆 동네 몬스터가 훨씬 약하건 말건 그들이, 자신의 영역을 벗어나 쳐들어올 일이 없기 때문이다.

그러나 아르데니아가 현실이 된 지금은? 바로 옆에 만만한 적이 있는데 가만히 놔둘 이유가 없다.

그 결과가 하나같이 자신의 영역을 넓혀 가고 있는 화점의 몬스터들이다.

좌상화점의 칠색오공(七色蜈蚣).

상변화점의 썬더버드(Thunderbird).

우상화점의 얼음 여왕.

좌변화점의 랜드웜(Land Worm).

천원의 망령룡(亡靈龍).

우변화점의 광신자(狂信者).

좌하화점의 염마왕(炎魔王).

하변화점의 폭풍범.

우하화점의 세계수(世界樹).

"다 기본적으로 다섯 칸 이상 먹고 있네…… 이제 그 이상을 먹고 있는 중이고."

아이스 엘리멘탈들이 오크 요새를 공격하고 있는 것도 같은 이유다. 사방을 다 먹었으니 팔방도 다 차지하겠다는 뜻.

'그나마 천원에 위치한 망령룡 레플리가 가만히 있는 게 다행이군.'

리벤지 유일의 신화급 몬스터인 레플리가 날뛰기 시작하면 그 누구도 막을 수 없다. 그리고 그렇게 차지한 착점에서도 [망령룡의 둥지]에 있는 몬스터가 쏟아진다면?

농담이 아니라 아르데니아는 어둠과 죽음의 대륙이 될 것이다.

"이거 이대로 시간이 흐르면 서쪽에서는 썬더버드가 쳐들어오고 남쪽으로는 얼음 여왕이 쳐들어오는 최악의 상황도 벌어질 수 있겠는데?"

생각만 해도 아찔한 일.

'최악의 상황에는…… 아예 로그인을 하지 않고 현실에서 십수 년을 벌어 10억. 어쩌면 100억 이상 번 다음 돌아와야 할지도 모르겠군.'

그렇게 생각하며 책을 잡아들었다.

편안한 잠자리가 아니어서 몸이 찌뿌둥하지만 그렇다고 작업을 못할 정도는 아니다. 격변하는 상황에 걱정이 들었지만 그럴수록 돈을 더 벌어야 한다.

책을 펴 페이지를 읽는다.

"로그아웃."

읽었던 내용을 되뇌어 타이핑한다.

"로그인."

다시 한 페이지 읽는다.

"로그아웃……."

작업 속도는 빠르다. 창작을 하는 것도 아니고 번역을 하는 것도 아니었으니까.

말 그대로 옮겨 쓰고 있으니 분량이 쭉쭉 쌓인다.

천천히, 내 필명과 작품의 이름이 넷상에 퍼져 나가기 시작했다.

사실 아르데니아의 작품들을 굳이 비교하자면 중세 비극이나 희극에 가깝다.

'방향성이 그러하다는 것이지 셰익스피어급 거장이 있는 것은 아니지만.'

기본적으로 아르데니아는 야만의 세계. 문학이 꽃피울 만한 토양이 아니다.

그러나 그렇다 하더라도.

아르데니아의 작품들이 작가들의 깊은 고뇌와 평생에 걸친 집필로 완성된 것은 사실이다. 종이가 귀한 세상에서 글을 날림으로 쓰기란 어려운 일이니까.

↳천마는우주우주해 : 요즘 보기 드문 정통 판타지네요. 그 덕에 제 취향에 꼭 맞는 작품을 찾을 수 있었습니다. 최근 트렌드를 좇으시는 분들께는 별로 느껴질 수도 있지만, 대여점 시절, 한 달 두 달 심지어는 1년 이상을 기다리며 종이책을 보셨던 몇몇 분들은 추억을 소환함과 동시에 읽

는 재미를 느끼실 수 있을 것 같네요. 철저하게 종이책 호흡을 따라가는 스토리 전개 방식과 속도, 그리고 뛰어난 문장력과 표현력까지. 한 줄, 한 줄을 되새기며 읽고 있습니다. 웹소설 시장에서 이러한 필력을 볼 수 있으리라고 생각지도 못했습니다. 왜 이제야 이 작품을 보게 되었는지 아쉬울 따름입니다. 정말, 제가 출판사 차려서 계약해서 종이책 출판해 드리고 싶을 정도로 좋고, 제 취향입니다. 작가님 꼭. 완결까지 써 주십시오. 아직 많은 이야기가 남은 걸 알고 있습니다. 건필하십시오.

↳망작에만댓글 : 응 조까 ^^ 노잼이야.

↳1000캐쉬 : 완전 재미있는데 그런 소리 하지 마세요…… 쓰는 작가 의욕 떨어지게 왜 그럼.

↳정판마니아 : 날림이 판치는 요새 글보다 훨씬 필력도 좋고 훌륭하구만 안 볼 거면 꺼지지 왜 악플을 달고 난리야. 안 그래도 조회 수도 똥망인데 작가님 연중하면 어쩌려고…….

↳망작에만댓글 : 필력은 무슨 ㅋㅋㅋㅋ 떡밥만 막 던지고 꾸밈말만 덕지덕지 붙여 놓으면 그게 필력이 좋은 거냐? 필력은 가독성, 표현력, 개연성과 핍진성, 완급 조절 뭐 이런 것들이 통합된 말이지. 한 페이지 읽기도 고통스러운 가독성 씹망에 필력은 무슨.

↳기가스타고싶다 : 작가가 어디 산속에 있다 온 건지 아니면 타임머신 타고 온 건지 알 수 없는 글.

댓글들은 날마다 전쟁이었지만 나는 굳이 막지 않았다.

"오히려…… 좋은데?"

독자들끼리의 싸움이 화제가 되면서 조금씩 조회 수가 늘고 있다.

최신 화는 슬슬 완결을 향해 달려가고 있는 지점에도 구매 수가 무려 30대!

이게 장기적으로 좋은 일인지 나쁜 일인지 알 수는 없지만.

'상관없다. 돈만 많이 들어오면 되니까.'

공장에 출근해 인챈터들을 보조한다. 클럽의 입구를 관리하고 편의점 카운터를 지킨다.

그리고 주말에는 소설을 베꼈다.

어느새 크리스마스가 다가왔다.

"와, 시간 빠르네."

지구에서건 아르데니아에서건 정신없이 바쁘니, 시간이 막 흘러간다. 나는 [흑기사와 장미공주]를 마무리하고는 잠시 생각에 잠겼다.

'스턴트 일이 점점 뜸해지네…… 시간 대비 효율이 아주 좋았는데.'

그러나 고급 호신 용품이 그렇게 쏟아지는 게 아닌 데다 경쟁자들도 있다. 일이 아예 없지는 않겠지만 슬슬 한 주에 한 건도 구하기 힘들 정도.

결국 여기에서 선택의 순간이 온다.

"다른 방송에도 지원해야 하나? 전에 영화 건도 있고…… 아니면 글을 더 써?"

고민하는 사이, 느닷없이 체다가 입을 열었다.

"네메시스 소프트로부터 초대장이 발급되었습니다."

"네메시스? 리벤지에서?"

나는 체다의 코를 눌러 승낙했다.

팟!

스마트 펫에 내장된 기능. 매직 스토어가 작동하며 한 장의 종이가 공간의 틈을 넘어 내 손 위에 내려앉는다.

"안녕하세요. 킬리언스님. 어느새 2089년의 마지막이 다가오고 있습니다……."

손으로 눌러쓴 듯 유려한 필체의 초대장을 단숨에 읽는다.

내용은 길었지만 결론은 간단하다.

"유저 간담회 초대장이잖아? 바빠 죽겠는데 별……."

나는 일말의 망설임도 없이 초대장을 버리려던 난 맨 아래 첨부되어 있는 내용에 그만 멈칫하고 말았다.

나는 다시 차분하게 첨부된 내용을 읽었다.

"유저 간담회에 참여하신 분들께는 다음과 같은 선물을 드립니다."

그 내용은 이러하다.

1. 네메시스 전용 비행정 소환 코드 or 텔레포트 게이트

이용 비용 전액

2. 6성 호텔 메탈릭의 스위트룸 1박 이용권.

3. 2급 에너지 실드. 블링크 주문이 영구 각인된 스마트 워치. [리벤지].

고작 게임 간담회 초대장과는 전혀 어울리지 않는 미친 구성의 선물들이 있었지만 내 눈길을 사로잡은 것은 [고작] 그런 것들이 아니다.

"와, 이건."

4. 펫. 포효하는 드레이크 카심(전설) 소환 카드 1장.

5. 수호령. 각성 썬더버드(전설) 소환 카드 1장.

그곳에, 그것이 있었다.

전설 등급 펫과 수호령이.

chapter2.

유저 간담회

chapter2.
유저 간담회

리벤지가 달성한 역대 최고 매출은 일 920억 원이었다.

리벤지의 그랜드 오픈 후 1년이 지나고 긴 시간 준비해 왔던 대규모 업데이트와 많은 유저들에게 욕을 들어먹을 정도로 가차 없는 비즈니스 모델을 발표해 이루어 낸 결과.

그러나 지금.

그 역대 최고 매출이 갱신되었다.

일 최고 매출 1,588억.

월 최고 매출 3조 2천억.

대규모 업데이트는커녕 이벤트도 뭣도 없는 어느 평범한 날의 일이다.

"그야말로 상상 이상이군. 핵과금러들이 이렇게까지 자극 받을 줄이야……."

"이래서 과거 게임사들이 슈퍼 계정 같은 걸 운영했던 건가 싶습니다."

네메시스 직원들조차 감탄하고 있다. 아마 다른 게임 개발사들도 놀라서 지금 이 현상을 연구하고 있을 것이다.

하지만 따라 할 수는 없다.

다른 문명, 다른 지구라면 몰라도 34지구에서는 특히나 그러하다.

"이런 상황을 유도하려고 조작을 시도했다간 그대로 끝장이 나겠지요. 진실신의 사제들이 몰려와서 사지를 찢어 버릴 테니까요."

"하긴 진짜인 우리한테도 찾아와 검증했을 정도니……."

우주적으로 활동하는 게임 마스터와 다르게 34지구만을 자신의 영역으로 삼는 신들이 있다.

정의신.

진실신.

명예신.

종말 프로젝트로 인해 인류가 멸망의 위기를 마주했을 때 나타난 그들은 각자의 영역에서 인류에 지대한 영향을 끼쳤다.

34지구의 인류는 정의로워야 했다.

34지구의 인류는 진실해야 했다.

34지구의 인류는 명예를 위해 행동해야 했다.

이것은 그저 아름다운 이야기가 아니라 생존의 문제.

그러지 못한 이들은 다 죽어 사라져 버렸다.

악이 멸망한 세상.

태어날 때부터 삼신의 존재에 익숙한 34지구 사람들과 달리 다른 지구, 혹은 다른 문명에서 넘어온 이민자들이 가장 힘들어 하는 요소 중 하나이다.

"그나마 지금은 많이 나아진 거지. 한 70년…… 아니 50년 전만 해도 장난 아니었다더군."

"이야기는 들었습니다. 학교에서 일진 놀이만 해도 지울 수 없는 낙인이 박히고 으레 하는 거짓말 때문에 징계를 받는 살벌한 시기라고 했지요."

"큭큭큭. 정치인들 코가 기본 1미터인 시기라던가."

"게임사들 직원들 상황도 장난 아니었다고 들었습니다…… 아! 그나저나 그 유저. 간담회에 불렀다죠?"

"사실 유저 간담회는 VVIP만 부르는 자리라 고작 그 정도 과금액으론 들어올 수 없지만…… 회사에 이 정도 이득을 가져다주었는데 상징성 때문에라도 불러야지. 다른 고객 분들도 이해해 주실 거야."

근래 네메시스의 분위기는 그야말로 최고조였다. 엄청난 수익으로 전 직원에게 보너스를 뿌렸고 막대한 예산 탓에 늘 준비만 하다 끝나던 세컨드 라이프 프로젝트(Second Life Project)가 진행되고 있는 상태.

"자! 충분히 쉬었으면 간담회 준비나 하러 가자. 초대장 응답 비율은 어때?"

"사분의 일 정도가 수락했습니다. 거부는 삼분의 일. 나머지는 무응답입니다."

"와. 다들 부자는 부자야. 선물을 그렇게 뿌려도 안 올 사람은 안 오네."

근래에 다시없을 활기로 직원들이 다시 움직이기 시작한다.

그러나 그런 그들조차 몰랐다.

지금 이 순간…… 네메시스는, 그들을 한 걸음 더 도약시킬 수 있는 상대와 마주하고 있다는 사실을.

* * *

"116개체의 리전과 연결된 단말입니다. 약 150만 명 정도의 NPC를 활성화시킬 수 있지요."

네메시스 소프트의 사장. 배사랑은 자신의 앞에 서 있는 귀여운 외모의 소녀를 바라보았다. 1미터 남짓한 신장에 반짝이는 금발. 오밀조밀한 이목구비를 가진 인형 같은 외모의 소녀.

너무나 사랑스러워 당장이라도 안아 주고 싶을 정도의 외향이었지만 사실 그녀는 인간이 아니었다.

리전(Legion).

영혼을 가진 기계 생명체인 리전은 100년 전만 하더라도 연합의 3대 주적이라 불리던 존재였다.

각성한 기계신 아담이 온 우주에 테러를 일삼던 그들을 추스르고 연합과 담판을 지어 중립 세력으로 인정받았지만, 그럼에도 여전히 [위험하다]라는 인식이 있어 만나기 쉽지 않은 그들 중 하나가 네메시스 소프트의 사장과 만나고 있는 것이다.

"116개체라…… 부족할 정도는 아니지만 아쉽군요. 리전 중 지원자가 모자랐던 것인가요?"

범우주적인 인류 연맹. [레온하르트 제국]을 비롯한 많은 세력들이 A.I. 개발을 제한하고 있다. 이는 [리전]의 요청에 의한 결과였다.

리전은 다른 종족들 손에서 리전이 태어나는 것을 반기지 않는다. 인간식으로 예를 들자면 원숭이 무리에서 태어나는 인간을 보는 감각.

그러나 리전이 아무리 강하고 무시무시하더라도 어찌 대우주 전체의 A.I. 기술을 틀어막을 수 있겠는가?

때문에 그들은 직접 우주 곳곳에 리전을 [취직]시켜 관련 업무를 수행하도록 했다. 적어도 관련 업무와 연결되어 있다면 리전이 발생하였을 때 그들을 안전하게 자신들의 품으로 받아들일 수 있기 때문이다.

"그들이라면 리벤지의 심도(深度)를 몇 급으로 만들 수 있죠?"

"1급. 그러니까 정확하게 말하자면…… 완성자도 현실과 제대로 구분할 수 없을 정도일 것입니다."

그녀의 말에 배사랑은 고개를 끄덕였다.

'상상 이상으로 좋은 조건이다.'

거의 모든 인류가 영능력자인 34지구에서 영상물과 가상 현실의 기준은 매우 까다롭다.

영감(靈感) 때문이다.

아무리 완벽하게 만들어 낸 CG라도 능력자들을 속일 수는 없다. 영감을 가진 그들은 영상물에서도 실제와 CG를 구분해 내기 때문이다.

단순 목소리로 노래 부르는 가수들이 도태되고 현실과 구분이 안 되는 CG기술이 만들어졌음에도 배우들이 직접 연기를 해야 하는 게 바로 그런 이유였다.

그런데 여기서 리벤지에 1급 이상의 심도가 적용된다면 어떻게 될까?

거기에 진짜 사람이나 다름없는 150만의 NPC가 추가되기까지…….

'이건 된다. 세컨드 라이프 프로젝트(Second Life

Project)를 실행할 수 있어.'

그녀가 내심 기뻐하고 있을 때였다.

"솔직히 맘에 들지는 않아요. 미스 네메시스."

후후후. 하고 웃는 소녀의 모습은 귀엽기 짝이 없다. 그러나…… 그런 모습에도 18레벨 생체력 수련자이자 기간트 마스터인 배사랑은 감히 그녀를 경시하지 못했다.

왜냐하면 알기 때문이다.

'단순한 단말이 아냐. 최소 초월자다.'

레벨 분류하자면 20레벨 이상.

18레벨인 자신보다 고작 2~3레벨 높은 것뿐이라고 생각할 수 있지만 19레벨과 20레벨의 차이는 신과 인간의 차이라는 것을 명심해야 한다.

"무엇이 말씀이십니까? 그……."

"엘리스라고 불러 주세요."

"네, 엘리스. 무슨 문제라도 있나요?"

조심스러운 그 말에 엘리스가 그녀의 눈을 마주 보았다.

"리벤지에 우리 아이들을 투입시키는 건 일반적인 업무와 다릅니다. 그들은…… 너무나 가까운 곳에서 인간과 접촉하게 될 거예요. 도무지…… 아버지께서 무슨 생각을 하는지 모르겠어요."

"그래서 저도 반쯤 포기하고 있었지요. 그러나 기계신 아담 님이라면 저희가 보지 않는 먼 곳을 보고 계시지 않을까요?"

"……그래요. 제가 생각이 너무 많았네요. 아, 그리고 요청드린 건?"

엘리스의 말에 사랑이 답한다.

"아! 당연히 준비되어 있습니다. 시, 소설, 영화 드라마로 1만 작품 이상입니다."

"아시겠지만 단순한 정보량이 아니라 안에 담긴 염(念)과 업(業)이 중요합니다. 실화 기반이 최우선이고 그게 아니더라도 혼을 실은 작품이 좋겠어요."

"걱정하실 필요 없습니다. 저희 네메시스는 34지구에서도 손에 꼽힐 정도로 예술계를 후원하고 있으니까요."

"……뭐, 보죠."

새침하게 대답한 엘리스가 손을 들어 반짝이는 금발을 어깨 뒤로 넘겼다. 그녀의 머리칼이 화사하게 찰랑이자 머리카락 하나하나가 윙윙 소리가 나도록 진동하더니 아무것도 없는 허공에 철로 된 문이 모습을 드러낸다.

그 문 앞에 선 엘리스가 말한다.

"전 아직 어려서 아버지의 뜻을 완전히 이해하지 못해요. 왜 인간과 교류해야 하는지. 왜 스스로의 [감정]을 제어해야 하는지."

인형처럼 귀여운 소녀. 아니, 실제로 인형으로 만들어진 기계 생명체는 안면을 제어해 환한 미소를 만들어 낸다.

"그저, 그분의 뜻대로."

철컥!

닫힌 철문이 사라지고 배사랑 혼자 남은 대표실이 침묵에 잠긴다.

그녀는 오연한 표정으로 문이 사라진 공간을 바라보다 또각또각 소리가 나게 발걸음을 옮겨 창가로 이동했다.

"……푸아! 아 진짜 너무 무섭다! 아, 왜 분위기 잡고 지랄이야!"

사랑은 떨리는 몸을 추스르며 창밖으로 내려다보이는 서울의 야경을 바라보았다.

매일 보는 풍경이지만 오늘 보는 풍경은 또 다르다.

목표에 한 걸음 다가갔기 때문이리라.

"아자!"

불현듯 소리를 지른다.

"이제 시작이다! 갈 길 멀다! 하지만 괜찮아! 난 어리니까!"

파이팅 넘치게 만세를 내지르는 그녀의 외모는 전형적인 도시 여자의 그것이다. 풍만한 몸을 단정하게 감싼 양복과 곱게 늘어트린 머리칼. 훤칠한 신장에 이지적인 눈매까지.

20대 중후반으로 보이는 외모지만…… 사실 그녀의 말은 거짓말이었다.

그녀는 2020년생.

이제 일주일 지나면…… 일흔이었다.

* * *

알바를 빼고 메탈릭 호텔에 왔다. 알바의 좋은 점은 미리 양해만 구하면 언제든 쉴 수 있다는 것이다.

'결국 크리스마스 이벤트는 또 특수 던전이었네.'

호텔 입구를 지나가며 안타까움에 한숨 쉰다. 공성 이벤트나 월드 레이드, 전쟁 이벤트처럼 아예 참여조차 힘든 이벤트는 아니지만 그렇다고 딱히 대단한 보상이 있는 이벤트도 아니다.

'음식 떨어지는 이벤트가 최고인데…….'

열 받는 건 작년 크리스마스에는 음식을 떨구는 이벤트를 했었다는 것이다. [크리스마스 케이크] 아이템의 경우는 송편과 크게 다를 게 없었지만 [크리스마스 쿠키]의 경우는 심지어! 가속 물약의 효과를 가지고 있었단다.

무려 30%(일반)에서 250%(전설)까지!

'아! 음식 이벤트 하라고! 빼빼로데이에도 빼빼로가 음식이 아니라 교환 아이템이더니!'

열심히 모아서 교환 아이템을 알뜰살뜰 다 교환했지만 음식 이벤트만큼의 효율은 안 나온다. 엄청나게 쌓아 뒀던 송편이 슬슬 바닥을 보일 거 같아 더욱 초조하다.

'뭐 그래도…… 크리스마스 패키지는 좋았지.'

500만 원치나 샀지만 전혀 아깝지 않다.

★☆크리스마스 패키지☆★
상급 클래스 소환권 10장.
상급 펫 소환권 10장.
여신의 성배 20개.
각성 티켓 10개.
각인 상자 10개.

이렇게 해서 단돈 50만 원!

'크. 구매 효율 너무 좋아. 사면 살수록 이득이야!'

솔직히 더 사고 싶은데 계정당 10번 구입 제한이라 그럴 수 없었다.

'더 팔지! 내가 돈 주고 사겠다는데 왜 안 팔아!'

그렇게 한탄하고 있을 때였다.

"안녕하십니까. 고객님. 혹시 예약하셨나요?"

카운터에 있는 화사한 얼굴의 직원이 말을 건다. 나는 고개를 끄덕였다.

"아마, 킬리언스라는 이름으로 되었을 겁니다."

"네 잠시만 기다려 주십시오. 세미."

"크릉!"

그녀의 발 옆에 앉아 있던 쿠거가 몸을 일으키더니 내 옆에 있는 체다와 눈을 마주친다.

“……확인되었습니다. 126층의 스위트룸으로 안내해 드리겠습니다.”

그녀의 안내를 따라 걷자 고급스러운 옷을 입은 사람들이 슬쩍슬쩍 내 모습을 훔쳐보는 게 느껴진다.

그냥 방이 어디인가 듣기만 하는 게 아니라 직원이 직접 안내를 해 주는 모습 때문인 듯했다.

“올라가겠습니다.”

승강기에 올라타자 직원이 벽에 슬쩍 손을 댔다.

그대로 승강기가 위로 솟구쳤다.

도착은 순식간이다.

“엇? 오 왔다 왔다. 안녕하세요! 와! 되게 젊다!”

뜻밖에도 승강기 문이 열리자마자 저 앞에서 나를 반기는 목소리가 들린다.

‘……뭐지?’

126층은 특이하게도 또 다른 로비가 준비되어 있었는데 그곳에서 차와 과자를 먹고 있던 사내가 나를 향해 손을 흔들고 있다.

“어머.”

조용히 내 뒤를 따르고 있던 직원이 그를 보고 슬쩍 얼굴을 붉힌다. 황당한 일이었지만 나 역시 그녀의 마음을 이해할 수밖에 없었다.

절세미남(絕世美男).

머리 뒤에서 후광이 비치는 듯 빼어난 미모에 절로 헛

웃음을 짓는다. 이곳에 오기 전 내가 생각한 것과 전혀 다른 종류의 인상을 가진.

핵과금러였다.

'어? 저 사람…….'

모르는 사람이다. 이름도 모르고 성도 모르는, 직업이 뭔지 어떤 인생을 살아왔는지 전혀 알 수 없는 사람.

그러나 그럼에도 나는 그를 수십 번도 더 봤다. 매우 익숙한 '얼굴'이다.

"스카이 마운틴."

"네?"

"블루 사이다, 파인 소세지, 허니 초코볼, 봄봄 슈크림……."

"어? 잠깐만요. 뭔지 알 거 같은데…… 아! 정답! 제가 광고한 물건들이죠?"

편의점에서 지겹도록 봤던 얼굴이 거기에 있었다.

소년과 사내의 어떤 지점. 순수함과 천진함. 야성과 색기를 함께 가지고 있는 변화무쌍한 매력.

그냥 길에 서 있기만 해도 시선이 몰리고 온갖 연예 기획사들이 몰려와 명함을 산처럼 쌓아 줄 것 같은 외모의 사내.

나는 잠시 어쩔까 고민하다 오른손을 내밀었다.

"한재연입니다."

"이성재입니다! 그동안 간담회에 온 사람 중에, 또래가 거의 없었는데 반가워요!"

환하게 웃는 그의 모습에 뒤에서 '헉!'하는 소리가 들린다. 돌아보니 나를 여기까지 안내해 준 호텔 직원이 넋이 나간 얼굴로 그를 바라보고 있다.

"여기 들어오는 사람은 다 간담회에 온 사람들인가요?"

"네. 126층에서 140층까지 다 간담회에 초대된 사람들이고 이 홀이 각자의 방과 연결된 텔레포트 허브예요. 음료와 간식이 무한정 나오기도 하고 수준도 상당해서 사교 활동하려는 분들은 여기에서 죽치고 계시곤 하죠."

"하지만 혼자 계신데요?"

"하하하! 여기 올 만한 분들은 다 바쁘시거든요. 저만큼 한가한 경우는 잘 없죠. 저녁쯤 되어야 사람들이 많아지는 편이에요. 저는 여기 5년째 오고 있으니까 궁금한 게 있으면 다 물어보세요!"

사람 좋게 웃는 성재의 모습에 나는 뒤를 돌아보았다.

"잠깐 앉아도 돼요? 방에는 제가 알아서 찾아갈게요."

내 말에 직원이 고개를 바람 소리가 나도록 흔들었다.

"아뇨! 방까지 안내하는 게 제 일인걸요. 대기하겠습니다."

역시 6성 호텔쯤 돼서 그런지 서비스 정신이 투철한 모양. 나는 고개를 끄덕인 후, 한편에 설치되어 있는 테이블로 향했다.

"가져가도 되나요?"

내 말에 테이블들을 세팅하고 있던 늘씬한 몸매의 직원이 사람 좋게 웃었다.

"물론입니다, 고객님. 이 호두파이는 어떠신가요? 다양한 견과류를 넣어 식감을 끌어올리고 시나몬을 더해서 풍미를 더한 저희 베이커리의 넘버원 상품입니다. 이 옆의 사과파이는 레온하르트 제국에서 수입한 백사과로 만들어 청량함과 달콤함을 함께 느끼실 수 있고 저쪽에 있는……."

간식을 하나하나 집어 설명해 주는 그녀의 안내에 따라 몇 개 받아 들고 성재의 옆에 앉았다.

"그나저나 간담회는 무슨 이유로 열리는 건가요? 초대장에는 뻔한 말들밖에 없던데."

"원래 연말마다 정기적으로 열려요. 앞으로의 업데이트 방향이나 회사의 비전에 대해 발표하곤 하죠. 다만 이번에는 특별히 큰 업데이트가 있을 거라고 전 예상하고 있어요."

"왜 그렇게 생각하시죠?"

"선물이요. 지금까지는 전설 펫 하나만 줬거든요. 그런데 이번에는 무려 전설급 수호령! 그것도 그 귀하다는 각성 썬더버드를 더해 줬어요! VVIP 고객들이 최대한 많이 참가하길 바라는 신호죠!"

성재의 붙임성은 실로 대단한 수준이어서 한참을 떠들 수 있었다. 정신을 차리고 보니 앉은 자리에서 30분이나 떠든 상황.

"아! 이렇게 만난 것도 인연인데 번호 교환할까요? 체다!"

그 흐름을 타고 성재가 말한다.

"야옹!"

"앗."

성재의 뒤에 서는 갈색 고양이의 모습에 멈칫한다. 성재가 나를 바라본다.

"체다."

"야옹."

"어? 하하하! 사람들 생각하는 게 다 비슷한가 봐요. 고양이 색이 이러면 이 이름이 딱 좋긴 하죠?"

똑 닮은 두 뚱냥이가 서로 코를 맞대었다가 뗀다. 돌아온 체다의 배를 톡톡 두들기자 [대차원 최고미남]이라는 닉네임의 소셜 아이디가 떠오른다.

'와, 아이디를 이런 걸로 한다고?'

기막혀하면서도 녀석의 번호와 SNS 링크를 저장한다. 현실의 캐릭터도 슬슬 길드에 가입해야 하는 상황이니 이런 곳에 초대될 만한 상대라면 인연을 만들어 두는 게 좋다고 생각했기 때문이다.

그런데 그렇게 작업을 마치고 고개를 돌린 나에게 이상한 광경이 보인다.

"저, 저…… 2시간 후면 퇴근인데요…… 오늘 한가한데요……."

수줍은 목소리에 성재가 부드럽게 웃는다.

"저는 여기 혼자 와서 심심했는데 잘되었네요. 제 방 번호 아시죠? 퇴근하고 오실래요?"

"……저! 제가 아주 좋은 와인이 있어요! 가지고 찾아갈게요!"

어쩐 일인지 나를 안내하던 직원과 성재의 관계가 급발진하고 있었다.

'아니…… 이게 뭔.'

황당해하는 사이 성재가 자리에서 일어난다.

"저는 먼저 가 볼게요! 여기 석식도 꽤 맛있으니까 귀찮아도 챙겨 드세요!"

"아, 네."

떨떠름해하는 나를 두고 성재가 떠나간다. 그리고 내 옆으로는 다시 직원이 붙었다.

발갛게 상기된 얼굴은 꽃처럼 화사하다.

"방으로 안내해 드리겠습니다!"

"아, 네."

나는 그녀의 안내에 따라 방으로 이동했다. 방 안으로 따라 들어온 직원이 설명을 이어갔다.

"여기 이게 방 번호고 이 기능을 작동하시면 텔레포트 게이트를 작동할 수 있습니다. 지금 스마트 펫에 주문 고정을 해 놓았으니 게이트로 들어가시면 자동으로 이동되실 거예요. 여기 이건 오늘 석식과 내일 조식 시간이고요. 그리고……."

묘하게 흥분한 얼굴로 설명을 마친 그녀가 떠나고 나는 방 안으로 들어간다.

"으-아!"

옷도 갈아입지 않은 채 침대로 몸을 던진다. 침대가 은은하게 진동하더니 묘한 파장이 흩뿌려져 육체와 정신을 진정시킨다.

"과연 6성 호텔이라는 건가, 침대도 마법기네…… 이건 드루이드 마법인가?"

온몸이 녹아내리는 것 같다. 침대 안으로 빨려 들어가는 기분.

고개를 돌려보니 으리으리하게 넓은 방의 전경이 보인다.

인조 세계수를 깎아 만든 원목 가구들과 고위 영능이 깃든 가전제품. 정체를 짐작조차 할 수 없는 부드러운 촉감의 침구류까지.

살면서 겪어 보지 못한 호사다.

'이런 날도 있군…….'

지구에선 24시간 대부분을 일하며 보낸다. 아르데니아에서는 그나마 좀 자는 편이지만 그것조차 차크라 능력을 이용해 극단적으로 압축한 수면 시간.

강건한 육신과 송편 아이템의 재생 능력. 그리고 초인적인 정신력 때문에 괜찮다고 생각했는데 아무래도 쌓인 피로가 상당했던 모양이다. 아무리 나라도…….

깜빡.

"야옹!"

"어……?"

눈을 감았다 뜨니 어느새 저녁 시간이었다.

"와, 기절했네."

황당해하며 침대에서 일어난다. 보아하니 룸서비스를 시킬 수 있는 모양이지만 그럴 생각이 없었기 때문이다.

'뷔페!'

나름 영주라고 신경 쓴 식단을 받기는 하지만 그래 봐야 아르데니아의 음식 수준은 처참하다. 다채로운 조미료는커녕 소금도 귀하고 신선한 야채와 과일은 귀족도 먹기 힘들다. 그나마 지금은 멧돼지 뒷다리 덕에 고기라도 많이 먹지만 그마저도 맛에 한계가 있다.

"얘! 너 정말 이럴래?"

방에서 나와 식당으로 이동하려는데 저 멀리서 귀에 익은 목소리가 들린다. 슬쩍 감각을 일으키니 목소리를 죽인 두 여인이 소곤대는 목소리가 들린다.

"이럴래는 무슨 이럴래야. 용기 있는 자가 미남을 얻은 거니까 조용히 빠지시죠?"

"아잉. 친구 좋다는 게 뭐야. 그러지 말고 같이 가자, 응?"

"아, 꺼져."

"이 기지배 의리 없이 날 버리려고 해? 내가 매일 간식해 줄게, 응? 타르트 어때?"

둘 다 아는 얼굴이다. 나를 방까지 안내해 준 여직원과 간식을 골라 주던 여직원.

6성 호텔에서 일하는 이들답게 빼어난 미색을 자랑하는 그녀들은 어느새 유니폼을 벗고 화사한 분위기의 사복으로 갈아입은 상태다.

"아오! 찰거머리 같은 년. 내가 한번 봐주는 거야."

"우리 언니, 충성충성!"

"언니는 무슨 내가 동생이거든!?"

수군거리던 둘이 텔레포트 게이트를 이용해 사라진다.

그녀들이 어디로 갔는지는 굳이 말할 필요도 없으리라.

"와…… 이게 뭐냐."

나이를 먹을 만큼 먹은 틀딱 꼰머는(42살)는 문화 충격에 입을 벌렸지만 이내 떨쳐 버리고 식당으로 향했다. 성재가 저 두 여인과 탁구를 하든, 게임을 하든 내 한 끼 식사가 더 중요하다.

"어서 오십시오 고객님. 자리로 안내해 드리겠습니다."

나는 식당에 도착해 자리에 앉지도 않고 즉시 움직이기 시작했다. 접시를 들고 한 마리의 하이에나처럼 온갖 메뉴 사이를 어슬렁거렸다.

그리고 가공할 균형 감각으로 접시에 온갖 음식을 담아 자리로 돌아온다.

'맛있다!'

신선한 샐러드가 아삭하게 씹히는 감각은 감동 그 이상!

나는 정신없이 식사를 즐겼다. 육체 능력이 상승해서인지 먹는 양이 많이 늘었다. 튀김을 먹고, 만두를 먹고, 스프를, 스파게티를, 피자와 돈가스, 해물찜과 킹크랩을 먹는다.

그리고 다시 접시 하나에 음식을 담아 앉았을 때.

"잘 드시네요."

테이블의 맞은편에 한 여인이 앉는다.

'뭐지?'

나이는 20대 후반 정도로 보인다. 170에 가까운 훤칠한 신장에 평소 단련하는 듯 단단해 보이는 몸. 깔끔하게 늘어트린 흑발에 반듯반듯한 이목구비. 관리한 게 분명해 보이는 눈썹과 피부…….

단정하게 갖춰 입은 양복이 잘 어울리는 미인은, 어딘가 모르게 낯이 익다.

'또 연예인인가?'

"당신은."

"만나서 반갑습니다. 킬리언스님. 네메시스의 대표 배사랑입니다."

"……!!"

놀라서 소리 지를 뻔했지만 간신히 마음을 추스를 수 있었다. 왜냐하면 이런 상황을 수십, 수백 번 시뮬레이션해 왔기 때문이다.

네메시스 소프트에서 개최하는 유저 간담회에 오면서 그 시뮬레이션을 다시 한번 복습했음은 너무도 당연한 일이다.

왜 그렇지 않겠는가?

내가 그들이 만든 게임 리벤지의 능력을 현실에서 사용할 수 있는데.

하지만 그럼에도 오지 않는다는 선택지는 없었다.

'전설 펫에 전설 수호령인데 어떻게 안 오나!'

게다가 어차피 한번은 겪어야 할 일이다. 이 능력을 가지고 있는 이상, 영원히 네메시스를 무시하며 버틸 수는 없는 일이었으니까.

'아나? 알려나? 역시 알겠지?'

내게는 네메시스 소프트를 조사할 수많은 시간이 있었고 또 그들과 접촉한다는 선택지도 있었지만 그것 중 무엇도 고르지 않았다. 왜냐하면 두려웠기 때문이다.

―아니! 그 능력은 우리가 활용하려고 만든 건데 왜 네가 쓰고 있지? 회수하겠다!

만약 이런 상황이 벌어지면 나는 아르데니아 대륙의 성주가 아닌 볼품없는 알바생으로 돌아간다. 어쩌면 기껏 얻은 능력들과 차크라 이능까지 잠길지도 모른다.

차라리 없이 살았다면 모를까 지금 이 능력들을 잃어버린다면 내가 살아갈 수 있을까?

눈치를 살피는 내 모습에 네메시스의 대표. 배사랑이 사람 좋게 웃었다.

"아! 갑자기 찾아와서 놀라셨나 보군요. 죄송해요. 저도 여기서 밥을 먹고 있다가 보고를 듣고 충동적으로 찾아온 거라서."

"아, 네. 만나서 반갑습니다. 그런데 무슨 일입니까?"

"후후. 별건 아니고 좀 궁금한 게 있어서……."

슬쩍 고개를 내밀어 다가온다. 그리고 그런 그녀의 말에 생각한다.

–너, 어떻게 아르데니아에 접속한 거지?

–당신, 마음대로 저희가 만든 능력을 착복했더군요.

–그 능력, 우리가 줬다는 건 당연히 짐작하고 있겠지요?

온갖 대사가 떠오른다. 그녀의 의미심장한 표정.

그리고 그녀가, 물었다.

"대체 왜 캐시 아이템을 삭제하시는 거예요?"

"후…… 역시 그렇…… 네?"

전혀 뜻밖의 대사에 시뮬레이션이 꼬인다.

"직원들이 난리도 아니더라고요. 벌써 1억 넘게 삭제하셨던데…… 진짜 천장을 노리고 삭제하시는 건가요?"

머리가 혼란스럽다.

'아니, 설마……. 모른다고?'

"아, 음."

너무 당황스러워서 자연스럽게 개소리가 나온다.

"아, 아이템을 삭제하면 쾌감이 느껴져서요……."

"……네?"

차분하던 사랑의 표정이 무너진다. 그녀가 어이없는 얼굴로 나를 보았다.

"그, 그런 이유로 삭제한다고요? 그래서 아이템 복구 신청도 안 하는 거예요?"

"삭제한 아이템을 복구할 수 있다고요!?"

깜짝 놀라 반문하자 사랑이 황당해하면서도 답했다.

"네? 물론이죠. 다만 아무리 많은 아이템을 삭제해도 복구 신청은 한 달에 세 건밖에 할 수 없어요."

"잠시만. 화장실 좀 다녀올게요."

당장 자리에서 일어난다.

흥분에 온몸이 떨렸다.

'뭐?? 뭐라고??'

포효하는 드레이크가 복사가 된다고!?

* * *

"아니 뭐야……."

사랑은 순식간에 멀어지는 재연의 모습을 황당한 표정으로 바라보았다.

"이게 뭔 소리야. 아이템을 삭제하면 쾌감이 느껴져?"

전혀 뜻밖의 대사에 시뮬레이션이 꼬인다. 그녀가 상정했던 수많은 상황 중 어디에도 없던 종류의 답변이었다.

—저기 사장님.

"무슨 일인데?"

느닷없이 전해진 메시지 마법에 답하자 그녀의 비서인 칼튼이 보고한다.

—미리 말씀하셨던 킬리언스 계정이 포효하는 드레이크 카심과 각성 썬더버드 소환 카드를 삭제했습니다.

"아니 진짜 전설 카드도 삭제한다고? 그것도 한정판을? 그게 몇 천만 원짜린데?"

—어? 지금 고객센터로 복구 신청을 했습니다. 시스템에 따라 복구 받은 듯합니다…… 어? 드레이크를 다시 삭제했습니다! 어? 또 복구 신청을……?

메시지 마법을 끊어 버리고 사랑은 재연의 얼굴을 떠올

렸다.

저녁을 먹으러 왔다가 그를 만난 것은 우연이었고 그 앞에 앉은 것은 충동의 결과였다.

'보통 사람이 아니라고 생각했는데.'

그저 신나서 밥을 먹는 사람처럼 보였지만 그녀는 그를 보고 특별한 아우라를 느꼈다. 마치 담금질을 반복한 강철처럼 단단히 응축되어 빛나는 영혼의 힘. 그의 눈에서 빛나는 안광은 그의 정신이 얼마나 강건한지 보여 준다.

무조건 크게 될 사람.

그 비범함에 놀라 그 앞에 앉았는데.

'쾌감이…… 느껴져?'

상상을 초월한 답변과 행동에, 그녀는 신음할 수밖에 없었다.

"미친놈인가……?"

* * *

날아갈 듯 가벼운 발걸음으로 자리에 돌아온 나를 배사랑이 미묘한 표정으로 보고 있다.

"화장실…… 잘 다녀오셨어요?"

"하하! 네."

전설 등급 펫 드레이크 카심과 전설 등급 수호령 각성 썬더버드를 삭제했다.

그리고 복구했다!

'이게 되다니!'

그야말로 판을 깨 버리는. 밸런스 파괴의 현장이다.

'세상에, 이러면 생각보다 빠른 시일 내에 화점 점령이 가능하겠는데?'

카심과 썬더버드를 삭제, 정확하게 말하자면 아르데니아로 보내 버리고 복구 신청을 하자 [포효하는 드레이크 카심(전설) 소환 카드]와 [각성 썬더버드(전설) 소환 카드]가 복구되었다! 이후 카심을 또 삭제하고 복구하였으니, 결과적으로 리벤지 계정에는 여전히 원본이 남은 채 아르데니아에 2마리의 드레이크와 각성 썬더버드가 남게 되었다.

그리고 다음 달에는 또 추가될 것이다.

"기분이 좋아 보이시네요."

"아…… 네."

"아이템을 삭제하신 건가요?"

"아…… 네?"

불현듯 머리끝까지 치솟았던 흥분이 가라앉자, 앞에 앉아 있는 네메시스 소프트의 대표에게 내가 어떻게 보였을지 짐작되었다.

'아이템을 삭제하면 쾌감이 느껴진다고 말하고…… 갑자기 화장실로 달려갔다가 싱글벙글하며 돌아온다고?'

게다가 눈앞의 그녀는 네메시스 소프트의 대표. 내가

화장실에서 전설 펫과 수호령을 삭제했다는 사실을 알지도 모른다.

즉.

'이거…… 완전 변태에 미친놈이잖아?'

그렇다고 그 오해를 변명할 수도 없다.

'나는 앞으로도 아이템을 계속 삭제해서 아르데니아로 가져가야 한다.'

사실 이건 누가 봐도 의심스러운 행동이다.

천장을 노린 거 아니냐는 예상은 귀여운 편에 속한다. 만일 내가 네메시스의 직원이라든가 시스템을 해킹하려는 어떤 시도를 한다고 의심을 받으면 어떻게 되겠는가?

말이 안 되는 소리지만 수억을 과금해서 그걸 다 버리는 게 더 말이 안 되는 행위.

그러기에 나는 내 비정상적인 행동을 이해시킬 만한 핑계가 필요했고-

사실 [그냥]보다 더 강력한 핑계는 존재하지 않는다.

"아, 좀 부끄럽군요. 차크라가 어느 경지를 넘어서니 어떤 가치 있는 물건이 파괴되거나 소멸할 때 엄청난 기쁨을 느끼게 되었습니다."

차분한 내 대답에 나를 정신병자 보듯 하던 그녀의 시선이 누그러진다.

"저런, 수련 부작용이군요…… 차크라가 정신에 많은 영향을 끼친다고는 들었지만……."

"하하. 수련을 너무 깊이 한 탓이겠지요. 다만 이런 상태라고 해서 현실의 물건을 파괴하거나 불을 지를 수는 없지 않습니까? 때문에 실질적인 가치를 가지고 있으면서도 파괴되거나 소멸해도 실제적으로 피해 보는 사람이 적은 리벤지의 아이템을 선택하게 되었습니다."

솔직히 말이 안 되는 소리다. 차크라가 수련자의 정신에 많은 영향을 끼치는 건 사실이지만 이런 이상한 정신병이 세상에 어디 있단 말인가?

그러나 인간의 정신이라는 건 원래 미묘한 것.

내가 이렇게 주장하면 그게 사실이다.

'물론 이게 범죄라면 결국 들통 날 거야.'

그러나 이건 거짓말이 아니다.

난 진짜 쾌감을 느낀다. 아이템들을 가지고 날 따르는 사람들을 일으켜 세우고, 힘을 주고, 세력을 키워 가는데 어찌 쾌감이 느껴지지 않겠는가?

설사 아니더라도 내가 누구에게 피해를 끼친 것도 아닌데, 진실신의 사제까지 불러 검증할 리 없다. 게임상의 누군가는 피해를 볼지 모르지만 아주 작은 수준이고 네메시스 입장에선 이득밖에 없는 상황. 그 이득을 보는 자들의 수장이라 할 수 있는 사랑은 이 상황을 결코 나쁘게 보지 않으리라.

역시나 그녀는 재미있다는 듯 고개를 끄덕였다.

"특이하군요…… 후후. 뭐, 덕분에 저희 네메시스는 큰 이득을 보았습니다. 대표로서 감사할 뿐이지요."

"하하. 별것 아닙니다."

그렇게 말하고 사랑의 모습을 본다.

그녀의 주의가 흐트러지는 게 느껴진다.

지금 이 자리에 흥미를 잃었다. 떠나려고 하고 있다. 그녀는 스스로의 감정을 다스리는 데 익숙해 보였지만 중세 랜드에서 귀족을 많이 상대해 본 나를 속일 정도는 아니다.

"자, 그럼 저는."

"혹시 부탁 하나 드려도 되겠습니까?"

내 말에 사랑이 난감한 표정을 짓는다.

"죄송하네요. 아무리 제가 대표라도 한 유저에게 특별한 혜택을 드릴 수는 없어요. 기업 등록을 할 때 정의신과 진실신께……."

"누구에게 피해를 주는 부탁이 아닙니다. 혹시 거래도, 사용도 불가능한…… 오로지 삭제만을 위한 아이템이 있을까요? 등급은 다양한 게 좋습니다."

그녀를 만난 것은 내게 있어 엄청난 기연(奇緣)이다.

다시는 오지 않을 기회. 좀 쪽이 팔리더라도 얻어 낼 수 있는 건 다 얻어야 한다.

"아, 그건……."

사랑의 표정이 미묘해진다. 어지간하면 거부할 테지만 이건 단호하게 쳐내기에 너무나 미묘한 부탁이기 때문이리라.

"받자마자 삭제하겠습니다."

"이것 참…… 이게 무슨…… 흠. 수련 부작용이라니 이해를 아예 못할 건 아니지만……."

사랑은 테이블을 손가락으로 톡톡 두드리다 이내 고개를 끄덕였다.

"뭐, 난감하지만 문제가 될 요소는 없네요. 대신 지금 저희 대화의 녹음 파일을 가지고 있겠습니다. 동의하시나요?"

"물론이죠. 감사합니다."

"정말…… 고생이 많으시네요. 앞으로도 저희 리벤지를 이용해 주세요. 내일 간담회도 기대해 주시고요."

자리에서 일어난 사랑이 식당을 떠난다.

나는 다시 식사를 재개한다.

그리고 배가 가득 찼을 때 즈음.

"야옹."

리벤지 내 우편이 하나 도착했다.

–알타그라 헬멧(희귀)이 도착했습니다.

–알타그라 장갑(영웅)이 도착했습니다.

–알타그라 흉갑(전설)이 도착했습니다.

–사령검 이스갈드(신화)가 도착했습니다.

"……!"

주먹이 불끈 쥐어진다.

'미친! 신화급 검!'

나는 식사를 마치고 체다와 함께 텔레포트 게이트를 향해 달렸다. 심장이 미칠 듯 뛴다.

팟!

텔레포트 게이트를 통과해 방으로 돌아온 뒤 즉시 속삭였다.

"로그인."

휘오오오!

온기가 감돌던 스위트룸이 찬바람이 몰아치는 왕실 도서관으로 변한다.

그러나 신경 쓰지 않고 아이템 설명을 보았다.

사령검 이스갈드(신화)

무기 데미지 +55

명중+66

추가 데미지 +45

치명타 확률 +15%

스킬 데미지 증폭+35%

[초월무구]

[이기어검]

[초월-사령(四靈)]

재질 : 진(眞). 오리하르콘(손상 불가)(신성)

흥분을 가라앉힐 수가 없다.

전설급 펫과 전설급 수호령까지 가지게 된 내가 신화급 장비까지 가지고 있다면 어떻게 될까? 신화 클래스가 없으면 효과가 반감된다지만 그렇다 하더라도 극단적인 전투력 상승이 일어날 수밖에 없다!

팟!

사령검 이스갈드를 꺼내 든다.

너무도 거대한 검이었다. 마치 검이 아니라 무슨 서핑보드에 손잡이를 달아 둔 느낌.

그러나 그 검에 담긴 힘은……!

힘은!

"……?"

담긴 힘이 없다.

"어? 뭐지?"

의아해하는 순간이었다.

쩍!

아름다운 검신에 한 줄기 균열이 생긴다.

"뭐, 뭐지? 이게 뭘 뜻하는 거지? 신화검 특수 효과인가?"

잠시 현실을 받아들이지 못하고 횡설수설하는 순간.

쩌저적!

파앙!

사령검 이스갈드가 산산이 부서지더니 먼지로 변해 흩어져 버린다.

"……."

멍한 표정으로 흐트러지는 검의 모습을 바라본다.

이내 내 손에 잡혀 있던 손잡이마저 사라져 버린다.

"신화 장비이기 때문인가?"

다음으로 알타그라 흉갑(전설)을 꺼내든다.

쩌억!

역시나 금이 가더니 흩어진다.

같은 과정이 알타그라 장갑(영웅)과 알타그라 헬멧(희귀)에서도 반복된다. 신화와 전설이라면 몰라도 영웅과 희귀까지 흩어진다는 건 이 현상이 등급과 상관없다는 말이다.

"아, 이런……."

나는 그만 신음하고 말았다.

'아무리 그래도 이건 안 된다는 건가…….'

내가 맨 처음 이 능력을 얻었을 때 감히 리벤지에 문의하지 못한 것은 이게 리벤지에서 실수로 흘러나온 어떤 결과물일지도 모른다고 생각했기 때문이다.

그러나 리벤지의 능력들이 점점 심화될수록.

나는 다른 가능성이 있을지도 모른다고 생각하게 되었다.

'고작 게임사에서 다루기에 너무 거대한 힘이야. 심지어…… 이건 신 중의 신인 게임 마스터조차도 쉽게 만들 수 있는 능력이 아니다. 이런 능력을 주고 날 방치한다는 건 있을 수 없는 일이야.'

무능력자나 다름없던 내가 완성자 이상의 전투력을 손에 넣었고 이것조차 고작 시작일 뿐이다.

성장 가능성은 그야말로 무궁무진(無窮無盡).

이 과금이 끝까지 간다면 상황은 점점 농담이 아니게 된다.

나는 아르데니아에서만 강한 존재가 아니라…… 전함이 날아다니고 기간트가 쏟아져 나오는 우주 전쟁에서도 활약하는 괴물이 될 것이다.

'사실 이게 되면 더 말이 안 되긴 해.'

사실 예전부터 생각은 했다.

리벤지의, 이 게임의 능력은 어디까지 현실에 구현될 수 있는가?에 대한 생각.

리벤지의 아이템이 밸런스를 가진 것은 그것이 다수의 유저가 플레이하는 MMORPG이기 때문이다.

그러나 아이템이란 결국 데이터 쪼가리. 텍스트를 붙이자고 하면 뭐든 붙일 수 있는 것 아닌가?

예를 들어.

초월궁극검(초월궁극)

무기 데미지 +9999

명중+9999

추가 데미지 +9999

설명 : 쥐는 순간 우주의 신이 되어 차원을 가를 힘을 손에 얻게 된다.

뭐 이딴 아이템도 존재는 할 수 있다는 말이다. 만약 리벤지가 말도 안 되는 오버파워 게임이라서 저런 아이템이 있다고 치면, 아무리 그래도 그게 구현될까?

'말도 안 되는 소리다.'

즉.

말도 안 되는 능력처럼 보이더라도…… 이 게임 능력에도 어떤 체계와 규칙이 존재한다.

그리고 배사랑 사장에게 선물로 받은 [삭제용] 아이템을 소환할 수 없다는 건.

'리벤지 속에서 실제로 존재하고 사람들에게 인정받는 아이템만이 실존할 수 있다는 뜻이다.'

눈앞에서 신화검이 날아가 속이 쓰리지만 그것 이상으로 대단히 중요한 정보를 손에 넣었다. 네메시스에서 내 능력의 존재를 모른다는 사실까지 알았으니 좀 더 적극적으로 움직일 수 있으리라.

"뭐 그것도!"

자리에서 일어나며 쓰게 웃었다.

"돈이 있어야 가능한 이야기지만!"

나는 이미 마탑의 책들을 다 옮겨 쓴 후 왕실도서관으로 이동해 작업 중이었다. 크롬 왕국도 나름 왕국이라고 도서관의 규모가 상당했지만…… 결국 내가 베낄 글은 소설뿐이었기에 남은 책은 100권도 되지 않는다.

'물론 이것도 무거워서 다 옮겨 쓸 때까지 머물러야 할 상황이었지만.'

그러나 이제는 상황이 다르다.

"읏차!"

100권의 책을 넣은 상자를 들고 왕실도서관을 나선다. 내가 탁 트인 정원으로 나오자 주변을 오가고 있던 몬스터들이 나를 발견한다.

"크르륵!"

눈이 쏟아지고 있는 왕국의 수도 위를 돌아다니던 엘리트 몬스터. 난폭한 예티(희귀)가 나를 보고 으르렁거린다. 그리고 그 소리에 사방에서 몬스터가 몰려오기 시작한다.

쿵! 쿵!

휘오오오오!

설녀. 예티. 아이스 골렘. 하이 엘리멘탈 등등 엘리트 몬스터의 축제가 벌어진다. 그 숫자는 대충 잡아도 수천 이상!

아무리 나라도 무시할 만한 규모가 아니었지만 나는 두

려워하는 대신 펫 창을 열었다.

〈포효하는 드레이크 카심(전설)이 소환됩니다!〉

쿠웅-!

아무것도 없던 허공에서 거대한 드레이크가 모습을 드러낸다. 수십 미터가 넘는 거대한 덩치를 지닌 녀석의 모습은 온몸을 뒤덮은 새하얀 비늘 때문에 신성하기까지 하다.

나는 녀석의 설명을 읽었다.

[포효하는 드레이크 카심(전설)]

다 늙어 자식들이 나눠 주는 먹이만 받아먹던 늙은 드레이크는 몬스터의 침략으로 알타 산림이 파괴되고 자식들이 학살당하는 모습에 분연히 일어났다.

그리고 포효하였다.

이후로 몬스터들은 물론이고 그 어떤 모험가도 감히 알타 산맥에 들어설 수 없었다고 한다. 난폭한 수호신이 숲에 잠들어 있었음으로.

반경 300미터 안쪽의 드랍 아이템을 자동으로 수거한다.

[신성 포효]

[기승-하늘의 지배자(전설)]

"크르르---."

보통의 드레이크가 아니다. 드레이크가 아무리 강력한 몬스터라도 전설 등급이기는 쉽지 않은 일.

거기에 녀석과 함께 받은 수호령이 핵과금러 사이에서도 희귀하다는 각성 썬더버드라는 것을 유념해야 한다. 카심은 전설 펫 중에서도 특별한 존재. 뽑기 확률이 다른 전설 펫들의 1/5도 안 된다.

"웃차!"

나는 나무 상자를 든 채 카심의 등에 자리한 널찍한 안장에 몸을 싣는다.

두두두두두!

"크아아앙!"

몬스터들이 몰려온다! 그러나 나는 카심을 재촉해 하늘로 날아오르는 대신 녀석의 등을 툭툭 두들겼다.

그리고 말했다.

"울어라, 카심."

내 말에 카심이 기다란 목을 하늘로 들어 올렸다.

고오오오---

마치 브레스라도 뿜으려는 듯 녀석의 입에 백색의 구체가 형성되기 시작한다.

"크르르륵!"

"죽--- 어--- 라---!"

"오, 설녀는 말도 하네."

몬스터들이 삽시간에 코앞까지 온다.

카심은 입안에 생겼던 구체를 브레스로 뱉어 내는 대신, 그대로 꿀꺽. 하고 삼켰다.

〈카심이 포효합니다!〉

한 줄의 텍스트가 스쳐 지나가고.

-크아아아아---------앙!

무지막지한 빛의 파도가 사방으로 터져 나간다. 몰려오던 모든 몬스터가 그대로 휩쓸려 버렸다.

"켁!"

"꺄아악---!"

순식간에 모든 몬스터들이 사라져 버리고.

후두두두둑!

터더더덕!

쩔그렁! 쩔그렁!

"와."

아이템이 비처럼 쏟아진다.

쏟아진 아이템들은 이내 사라져 인벤토리를 가득 채워 버렸다.

"죽인다. 진짜."

시야 한편에 신성 포효(11시간 59분)이라는 아이콘이 생겨난 것을 확인한 후 다시 카심의 등을 두들겼다.

"그만 집에 가자!"

펄럭!

내 명령에 카심이 허리를 확 숙였다가, 그대로 뛰었다.

쾅!

비행펫 주제에 왜 이렇게 두꺼운 건지 의아했던 두 다리가 거대한 육체를 하늘로 쏘아 보내자, 백색으로 빛나는 날개가 활짝 펴진다.

"크아아아앙--!"

평범하게 포효하며.

카심이 북상하기 시작한다.

* * *

내가 자리를 비운 동안에도 내 세력은 무럭무럭 성장했다.

어느새 차지한 성의 숫자가 9개.

기존의 성들은 물론이고 와일드 보어의 서쪽에 있는 와일드 캣 성(Q-19)과 스타팅의 서쪽에 있던 큰 송곳니 성(Q-18)까지.

물론 우리가 차지한 성들은 대체로 외곽에 자리한 만큼 많은 사람들이 남아 있었고 귀족들이 설쳐 대는 경우도 있었지만, 스틸스톤과 헌드레드는 강력한 무력과 넘치는 멧돼지 뒷다리를 이용해 저항을 무너뜨렸다.

물론 문제가 없는 것은 아니었다.

"서쪽에서 등장한 놀 군단의 공격으로 큰 송곳니 성에 1,700명가량의 피해가 발생했습니다. 물론 그 대부분은 피난민이었지만…… 제1 깃발 연대에서 지원을 요청했습니다."

"푸른 망치 성 근방에는 아이스 엘리멘탈들이 출몰해 물자 수송에 어려움이 발생하고 있습니다. 제1 양몰이 연대에서 엘리멘탈들을 몰아내거나 그들을 피해 새로운 길을 내야 한다고 건의해 왔습니다."

걱정하던 대로 내륙에서부터 영역을 확장하는 몬스터들의 군세가 바둑판의 외곽까지 범람하기 시작했다. 물론 그 대부분은 본진에서 2칸 이상 진출하지 못하고 있다.

인간과 몬스터는 적이지만.

몬스터와 몬스터 역시 적이다.

'만약 그렇지 않았다면 인류는 벌써 옛날에 끝났겠지.'

실제로 대부분의 화점 몬스터들이 다른 지역으로 넘어가지 못하고 가로막히고 있다. 마치 아이스 엘리멘탈들이 스타팅에 오지 못하는 것과 같다.

왜 못 오는가?

소드 마스터 칸 슬래셔가 격렬하게 저항하고 있기 때문이다.

'기본적으로…… 몬스터끼리의 전쟁은 방어가 훨씬 유리해. 몬스터들은 리젠이 되니까.'

똑같이 부활해도 200km 밖에서 부활하는 공격 측과 제자리에서 부활하는 방어 측의 전력 보충 속도는 차원이 다르다.

분위기를 보아하니 영역을 넓혀도 보스는 복사가 안 되는 모양이니 화점의 몬스터들이 가로막혀 외곽까지 나오지 못하고, 해당 착점의 몬스터들도 본진을 지키느라 주변에 쳐들어가지 못하던 상황.

그러나 이 평화가 영원히 이어질 리는 절대 없다.

스페셜 보스가 수백 킬로미터를 이동해 영역을 넓힐 수도 있고.

몬스터끼리 휴전 협정을 할 수도 있다.

무엇보다…… 꼭 해당 착점을 점령해야지만 다른 지역으로 넘어갈 수 있는 게 아니다. 돌아가면 그만인 것이다.

'집을 만들어야 한다. 영역의 외곽에 전선을 세워야 해.'

모든 성을 희귀나 영웅급으로 승급시킬 수는 없으니 수성을 준비할 전방과 물자를 지원할 후방을 구별하고 기승 펫을 다수 보급해 전투 수송단의 힘을 키워야 한다.

"아, 정말 정신없군."

상황은 계속 급변하고 결정 내려야 할 일이 한두 개가

아닌 상황이었기에 꼼짝없이 스타팅의 집무실에서 일주일 내내 일했다.

성마다 시청을 만들고 인원을 편성했다. 많은 인재가 필요했던 만큼 귀족의 지위를 인정하지 않았고 남녀를 구분하지도 않았다.

오직 능력.

능력만 있다면 누구라도 위로 올라갈 수 있는 시스템이 만들어진다. 원래대로라면 기득권층의 무지막지한 반발에 부딪혔겠지만 지금 내 권한과 위상은 그야말로 무소불위. 귀족 출신의 피난민들이 불만을 가진 듯해도 감히 소리 높여 그것을 말하지 못한다.

아니, 그러긴커녕 전력을 다해 던전을 돌고 시험에 합격해 시청에 들어가곤 한다.

'귀족이라고 다 눈치 없는 병신인 건 아니지.'

몬스터에게 자신들의 기반이 파괴되어 달아난 상황이다. 세상이 급변하고 있음을 누구보다 뼈저리게 느끼고 있을 것이다.

"시민증은?"

"정예병과 그들의 가족을 중심으로 2만 4천 명을 등록했습니다. 발급받은 인원은 총 7,400명입니다."

차분한 플라워의 말에 생각한다.

'주민 등록증처럼 내 성에 머물고 있는 모든 사람들을 등록하고 싶지만…… 물리적으로 무리겠지.'

지금 이 순간에도 피난민들이 밀려오고 있다.

집도 재산도 농지도 모두 잃어버린 사람들.

만일 와일드 보어 성에서 멧돼지 뒷다리가 쏟아져 나오지 않았다면 대규모 기아 사태로 상상을 초월하는 수의 인간이 죽어 나갔을 것이다.

어쩌면 리벤지의 프롤로그처럼 인류의 98% 이상이 사멸하고 소수의 사람들만 살아남은 상황이 되었을지도 모르지.

"성주님. 국경에 사신들이 도착했다는 보고가 올라왔습니다."

"사신?"

"폭시 왕국과 어드벤처 왕국이 서쪽의 큰 송곳니 성에서 대기 중이고 크롬 왕국과 헥터 왕국은 푸른 망치 성에서 대기 중입니다."

"팔왕국 절반이구먼."

나는 집무실 한편에 설치된 바둑판 모양의 지도를 살폈다.

그리고 이내 고개를 끄덕였다.

"오라고 그래."

"병력은 어떻게 할까요?"

"아무리 많이 데려 와도 상관없다. 대신 선임 정예병을 백 명 이상 붙여. 혹시라도 뻘 짓할 기미라도 보이면 바로 조지라고. 선 조치 후 보고를 허락하지."

"네, 성주님. 아, 그런데."

집무실을 나서려던 플라워가 걱정된다는 듯 말한다.

"벌써 나흘째 아무것도 안 드셨습니다. 괜찮으신 겁니까?"

"지금 내 상태를 봐. 멀쩡하지? 다 튼튼이 먹고 있으니 걱정할 필요 없어."

"……네, 영주님."

플라워가 집무실을 나간 후에도 업무를 이어 나갔다.

오백이나 넘는 근력으로 펜대나 굴리고 있는 현실이 어색하지만, 뭐만 하면 막히고 실패하고 누가 와서 지랄하던 브론즈소드 남작 시절에 비하면 캐쥬얼 게임만큼이나 신나고 힘이 난다.

"기사 출신 빅핸드가 망명을 신청…… 저택과 토지를 구매하고 싶다는 요청…… 스파이 의심 사례……."

한 자리에서 꼼짝 않고 업무를 이어 나간다. 그러다 보니 배가 꺼지고 목이 마르다.

"후, 조금 쉴까. 로그아웃."

커다란 집무실 책상 대신 2미터 남짓한 지름의 테이블이 눈에 들어온다.

구운 아스파라거스, 상큼한 백사과 소스를 뿌린 샐러드, 그리고 먹기 좋게 구워진 두툼한 스테이크가 담긴 접시가 눈에 들어온다.

"허기질 땐 고기가 최고지."

아르데니아에서도 맨날 고기를 먹지만 그딴 것과는 그야말로 차원이 다른 육질.

스테이크는 몇 번 씹지도 않았는데 살살 녹아내린다.
고기 한 입, 샐러드 한 입, 다시 고기 한 입, 샐러드 한 입.
스테이크와 야채를 다 먹고 옆에 놓인 과일 에이드를 한 모금 마시고 나면, 스테이크가 다시 채워져 있다. 무한정으로 제공되는 고기와 싱싱한 샐러드! 배가 부를 때까지 신나게 스테이크를 마음껏 먹고, 과일 에이드를 원샷하며 식사를 마무리했다.
"와, 저 사람 많이 먹네요. 생체력 수련자인가?"
"아니, 아무리 그래도 앉은 자리에서 저렇게 먹는 게 가능한가? 자기 체중보다 많이 먹은 것 같은데."
"게다가 그냥 쏟아 넣는 것도 아니고 저렇게 꼭꼭 씹어서……."
여기저기에서 수군거리는 소리가 들렸지만 전혀 신경 쓰지 않는다. 하루 묵는 데 수백만 단위로 써야 하는 6성급 호텔에서 많이 먹는다고 뭐라 할 리는 없기 때문이다.
나는 그저.
"크. 여기."
만족스럽게 웃을 뿐이다.
"조식 잘하네."

* * *

영맥을 따라 한 무리의 병사들이 걷고 있다. 수십 대의 마차를 이끌고 있는 말들과 무장을 한 천 명가량의 병사로 이루어진 전투 수송단.

양몰이 연대다.

두두두!

그들의 속도는 상당하다. 뛴다고 하기는 부족하지만 거의 그에 준하는 속도.

100킬로미터나 되는 성과 성 사이를 마차까지 이끌고 하루 만에 주파하는 양몰이 연대의 행군 속도는 병사들 사이에서도 유명하다.

심지어 오늘은 늘 인벤토리에 넣고 다니던 강철 갑주까지 꺼내 입고 있는 상태인데도 전혀 줄지 않은 속도.

결국 그 속도를 견디지 못한 사신단의 기사가 버럭 소리를 질렀다.

"거기 너! 대체 언제 쉬어 가는 거냐?"

기사의 말에 양몰이 연대를 이끌던 헌터 소위가 눈살을 찌푸렸다.

"또 쉬자는 겁니까? 그렇게 느긋하게 가다간 야영을 하게 될 겁니다."

"느, 느긋하다니? 여기는 능선이야! 무장하고 이런 속도로 행군하다니……."

"설마 힘드신 겁니까?"

한심하다는 그의 목소리에 크롬 왕국의 기사, 달튼은 차마 그렇다고 말하지 못했다.

그들을 둘러싸고 있는 [한 길드]의 병사들이 비웃음을 띤 채 그를 바라보고 있었기 때문이다.

"네놈…… 너……."

"설마 그럴 리는 없을 것이라고 믿습니다. 고작 병사들 따위도 멀쩡히 행군하고 있는데."

"……."

맨 처음 양몰이 연대가 그들을 호위한다고 했을 때 고작 병사들 따위가 무슨 호위냐고 비웃었던 달튼의 얼굴이 붉게 달아오른다.

철컥.

감히 평민 따위가 자신을 모욕한다는 생각에 검을 잡아드는 순간.

"달튼! 우리 얼굴에 먹칠하지 말고 돌아와!"

"하, 하지만 헤이즈 님."

"내 말 안 들리나?"

서늘해지는 헤이즈의 시선에 달튼이 자신의 자리로 돌아간다.

"저 건방진 것들!"

"이렇게나 방자하게 굴다니……."

헤이즈는 불만을 토하는 기사들을 보다가 다시 양몰이 연대를 돌아보았다. 천 명의 병사들이 흐트러짐 없이 산길을 타고 있다.

'이건, 정말 심상치 않다. 그저 소드 마스터 한 명의 문

제가 아닌 것 같아.'

탁월하게 체력이 좋은 한 명이 있을 수는 있다. 혹은 오러 능력자가 있을 수도 있고. 그러나 이토록 많은 병사들이 다 체력이 좋다는 건 있을 수 없는 일.

그뿐이 아니다.

'선임 병사들이…… 후임의 짐을 대신 들어 주고 있어. 말이 안 되는 일이다.'

어느 부대나 후임의 삶은 고달프기 마련이다. 선임의 짐을 다 들어 주는 건 당연한 일이고 잔심부름에 심하면 선임의 장난감 역할까지 해야 한다.

그런데 선임이 후임의 짐을 들어 준다? 그러고 이 험난한 산길을 걸어간다고?

군대가 거꾸로 된 게 아니라면 뭔가 이유가 있을 수밖에 없다.

'한…… 대체 무슨 능력을 얻은 거야?'

그가 소드 마스터가 된 것은 오히려 놀랍지 않은 일이었다. 그가 사용하는 검술은 그녀가 생각하는 이치를 아득히 초월한 어느 지점에 도달해 있었으니까.

게다가 아무에게도 말하지 않았지만…… 그는 그저 옆에서 지켜보는 것만으로 그녀가 익힌 오러 수련법의 문제점을 깨닫고 그것을 고쳐 주었다.

단지 그의 말을 따라 수련하는 것만으로 그녀는 크롬 최강의 기사가 되었다.

'역시 천재가 맞잖아. 끝끝내 아니라고 하더니 얄미운 녀석.'

그러나 이해 가는 일이다. 약자가 보물을 가지면, 단지 그것만으로 죽을죄가 되니까. 뒷배가 없는 그가 오러 수련법을 수정할 만한 재능이 있다는 것이 알려졌다면, 아무리 그의 전투 능력이 빼어나도 절대 살아남지 못했을 것이다.

"도대체…… 그 괴물들이 나타나면서 뭐가 달라진 거지?"

한의 세력. 통칭 [한 길드]는 피난민과 기존 세력을 흡수하면서 무시무시한 기세로 덩치를 키우고 있었다.

믿을 수 없을 정도의 무력과 끝도 없이 쏟아지는 식량.

'소문에는 한이 허공에서 끝도 없이 멧돼지 뒷다리를 뽑아낸다는데…….'

"하하."

헤이즈는 자신도 모르게 웃음을 흘렸다.

아무리 그래도 그렇지 너무 허무맹랑한 소리였다. 무슨 사이비 종교도 아니고 그런 헛소리가 퍼진단 말인가?

"새로 생겼다는 그 성만큼이나 말도 안 되는 소……."

"단장님!"

느닷없이 기사들이 술렁이기 시작한다. 헤이즈가 눈살을 찌푸렸다.

"달튼. 얼마나 지났다고 또……."

"헤이즈 단장."

그때 조용히 그들의 옆을 걷고 있던 사신단의 대표. 일라인 실버 소드가 정면을 고갯짓했다.

항상 근엄하던 그의 얼굴이 돌처럼 딱딱하게 굳어 있다.

"갑자기 무슨…… 뭐?"

고개를 돌린 헤이즈는 능선을 넘어가며 탁 트인 시야를 보고 할 말을 잃었다.

그곳에, 그것이 있었다.

[완벽한 요새 도시(영웅)]가.

"아니, 이게 뭐야……."

"말도 안 돼."

"여긴 분명, 레드 엑스 남작가가 있던 장소인데."

"세상에."

높이 40미터의 성벽.

재연이야 아파트를 죽 이어 놓은 것 같다. 하고 말았지만 아르데니아 사람들에게 그것은 불가사의나 다름없었다.

조금의 흐트러짐도 없이 반듯반듯. 마치 그림으로 그린 것만 같은 균형감. 타고 올라가기는커녕 바늘 하나 꽂을 틈 없어 보이는 맨들맨들 성벽. 성벽 중간중간 자리한 감시탑과 거대한 포탑까지.

당혹스러워 하는 그들의 모습에 양몰이 연대의 얼굴에

자부심이 차오른다.

"자자! 집에 다 왔다!"

"오오!"

함성이 터지는 순간이었다.

파앗!!!

거대한 성벽 너머에서 새하얗게 빛나는 괴물이 하늘로 날아오른다. 그 모습에 사신단은 물론이고 양몰이 연대도 깜짝 놀라 발걸음을 멈추고 말았다.

펄럭! 펄럭!

날갯짓해 점점 멀어지는 백색 괴물. 그것이 드레이크라는 최상위 몬스터라는 사실은 이들 중 아무도 몰랐으나, 개중 눈이 좋은 몇은 그 위에 타고 있던 한 사내를 발견할 수 있었다.

"성주님이다! 새로운 펫이야!"

"오오!! 새로운 펫!! 저렇게 웅장한 모습이라니!"

"새로운 펫!!"

병사들이 시끌시끌 떠들었다. 매일매일 격변하는 상황에 적응된 그들이었기에 순식간에 상황을 받아들인 것.

그러나 그러지 못한 사신단은 완전히 얼어붙어 있다. 느닷없이 생겨난 거대한 성이 불가사의라면, 백색으로 빛나는 드레이크의 모습은 공포 그 자체였다.

"아니 진짜……."

헤이즈 역시 질린 얼굴로 드레이크의 모습을 바라보았

다. 녀석의 비행 속도가 어찌나 빠른지 그 모습이 벌써 손톱만 한 크기까지 작아져 있다.

“대체 뭔 일이 벌어지고 있는 거야……?”

그러나 헤이즈가 한탄하든 말든 이동은 계속되었고, 약 1시간 후, 양몰이 연대는 스타팅에 도착했다.

“헌터 소위님, 복귀하셨군요. 일행이 엄청나게 늘었네요.”

“크롬 왕국과 헥터 왕국의 사신단이야. 명단은 여기 있다.”

“감사합니다. 아, 그나저나 보셨습니까?”

기사들조차 긴장해야 할 정도로 강건한 기세를 풍기고 있는 경비대장의 말에 헌터가 고개를 끄덕였다.

“영주님의 새 펫이지?”

“네. 진짜 어마어마하지 않습니까? 전 전설의 드래곤인 줄 알았습니다! 가까이서 봤을 땐 어찌나 다리가 후들거리는지…… 앗! 너무 오래 잡았네요. 통과!”

외침과 함께 경비병들이 비켜서고 양몰이 연대와 사신단이 성문을 통과한다. 그리고 스타팅에 들어서는 순간, 사신단 모두가 신음한다.

“아…….”

“아니, 이건.”

“이럴 수가…….”

남문으로 들어선 그들의 눈앞으로 도시를 직선으로 관

통하는 거대한 대로가 펼쳐진다.

자로 잰 듯 반듯반듯한 건물들, 바닥에 깔린 깨끗한 벽돌, 중간중간 박혀 있는 가로등과 종종 보이는 5층 이상의 건물들.

도시는 밖에서 봤던 성벽만큼이나 경이로웠다. 건물, 도로, 성벽 모두 한 사람이 설계해 만들어 낸 듯 통일성이 있다.

"어떻게 갑자기 이런 도시가……."

"지마일보다도 번화한 도시라니……."

그러나 그들을 진정 놀라게 한 것은 도시가 아닌 그 안에 있는 사람들이다.

"꼬치구이 드세요! 고기와 감자를 번갈아 끼워 특제 소스를 바른 스타팅 꼬치 입니다!"

"따뜻한 허브차 팝니다!"

"옥수수구이 팝니다! 농장 가동 후 처음으로 수확한 옥수수!"

사람들이 바쁘게 움직이고 목소리 높여 호객 행위를 하고 있다. 스타팅의 자유 시장들이 대부분 성문 근처에 위치해 있어 벌어진 현상이다.

성의 중앙부로 향할수록 거주 자격이 엄격해지고 일반인들이 절대 경쟁할 수 없는 [직영 상점]들이 들어서 있기에 시장에서는 주로 성을 나가는 사람들과 들어오는 사람들을 상대하며 자잘한 물건과 식품 등을 판매하고 있었다.

"활기차군."

"세상에…… 평민 놈들 얼굴에 살이 올랐군요. 식량이 충만하다는 말은 들었지만."

"거지가 하나도 안 보입니다. 불량배도 안 보이고……."

"옷이 깨끗하군요. 대부분 귀한 가죽으로 만든 옷을 입고 다니고 있습니다."

사신단은 수군거리며 병사들을 따라 이동했다. 양몰이 연대는 원래 임무대로 대로 한편에 위치한 보급 창고에 들렀다.

사신단은 몰랐지만, 양몰이 연대는 그들이 생각하는 것보다 훨씬 많은 물자를 수송하고 있다. 그들의 [진짜] 수송 물품은 1인당 50킬로그램씩 존재하는 인벤토리에 들어 있었기 때문이다.

그들은 와일드 보어 성에서 스타팅을 거친 멧돼지 뒷다리를 풀고, 블루 해머 성에서는 고블린 전투 망치(일반), 두터운 솜옷(일반), 체력의 목걸이(고급) 등의 아이템을 가져왔다.

특히나 두터운 솜옷은 평균 기온이 낮은 북부 지역에서 인기가 좋은데다 일반 아이템이라 드랍도 잘되어 인벤토리에 가득가득.

그들이 마차에 싣거나 등에 메고 이동한 것들은 인벤토리에 넣을 수 없는 비아이템뿐이다.

"네 이놈! 지금 나를 능멸해?"

그때 크롬의 기사 달튼이 버럭 화를 낸다.

위협적인 기세였지만 앞에 선 사내는 전혀 겁먹은 기색이 아니다.

"네? 제가 왜 기사님을 능멸한단 말입니까?"

"지금 나에게 바가지를 씌우려 들었잖아! 감히 기사를 상대로 텃세를 부려?"

난데없는 소란에 주변을 살피고 있던 헤이즈가 달려왔다.

"달튼! 이 멍청한 놈. 소란 피우지 말라는 내 말이 우습나?"

"하, 하지만 단장님! 이 평민 나부랭이가 절 모욕했습니다!"

"무슨 모욕?"

"글쎄, 이 꼬치가 하나에 27골드라지 뭡니까!"

"……뭐라고?"

순간 달튼을 혼내려 하던 헤이즈조차 당황했다. 말이 안 되는 가격이었기 때문이다.

27골드라니?

1골드. 그러니까 금화 하나는 왕국의 수도에서도 괜찮은 식사 한 끼를 해결할 수 있는 돈이다. 그마저도 수도의 높은 물가 때문이지, 변방이라면 세끼도 해결할 수 있는 금액.

과거 한재연이 1골드를 1만 원 정도라고 인식했다는 걸 생각해 보면 지금 이 상인은 꼬치값으로 27만 원을 부른 것이다.

변방 기준으로 보면 80만 원까지 인식될 수 있는 금액!

“이해하시겠죠? 이건 절대 사고 치는 게 아닙니다. 당장 이 새끼 면상을…….”

“아! 핸섬맨 하사님, 어서 오십시오.”

“흠~ 오늘 냄새 정말 좋네. 여기 이 스페셜 꼬치는 얼마인가?”

“34골드입니다. 양념이 딱 잘 배었을 때 오셨네요.”

“항상 잘 먹고 있네.”

짤랑!

가죽으로 만든 옷을 걸친 사내가 3개의 백금화(白金貨)와 4개의 일반 금화로 대금을 치르고 꼬치를 받더니 경쾌한 걸음으로 대로를 향해 나선다.

“…….”

“…….”

두 기사는 그 모습을 멍한 눈으로 바라보았다. 상인이 손을 내젓는다.

“안 사고 시끄럽게 하실 거면 그만 가 주십시오. 비싸면 안 사면 그만 아니겠습니까? 강매를 한 것도 아닌데 버럭버럭…….”

결국 그들은 노점상에서 쫓겨났다.

절로 황망해할 수밖에 없었다.

"아니…… 이게 무슨?"

"고작 길거리 꼬치를 사는 데 백금화라니……."

그들은 혼란스러워했지만, 사실 이건 당연한 흐름이다.

인플레이션(inflation).

몬스터가 등장하기 전과 지금의 금화 가치는 완전히 달라졌다. 금을 캐내 특수한 방식으로 주화를 찍어 내던 예전과 달리 지금은 몬스터를 죽이면 골드가 떨어지는 상황이었기 때문이다.

재연은 던전 클리어를 장려했고 굳이 그런 장려가 아니더라도 병사들은, 심지어 신체 건강한 대부분의 사람들이 죽어라 던전을 돌았다.

먹을 것이, 입을 것이, 경험치와 스킬이 나오는 게 바로 던전.

물론 그 와중에 자신의 능력을 과신한 멍청이들이 수두룩하게 죽어 나갔지만, 점점 공략 체계가 잡히고 정예병이 늘어나면서 사망률은 점점 떨어졌다.

괜히 상위 던전에 도전해 무리하는 것보다 하위 던전을 여러 번 도는 게 더 이득이라는 사실을 사람들이 깨달았기 때문이다.

4명이 일반 등급 던전 한 바퀴만 돌아도 클리어 보상까지 1만 5천 골드 이상 획득한다. 물론 네 명이 나눠야 하지만 여러 번 돌면 해결되는 일.

골드가 쏟아지는 건 당연한 일이다.

"물가가…… 여기 물가가 상상을 초월합니다. 이런 미친."

"하루 숙박에 250골드랍니다!"

잠시 도시를 조사한 기사들이 얼굴이 새파래져서 모여들었다. 헤이즈가 손을 들어 그들을 진정시킨다.

"괴물 놈들을 죽이면 금화가 떨어지는 걸 이미 보지 않았더냐? 전혀 예상 못한 일은 아니었다."

"하지만, 하지만 이건 말이 안 됩니다! 무슨 괴물을 하루에 1만 마리씩 잡기라도 한답니까?"

그들은 모두 귀족들이었다. 그것은 그들이 부유층이라는 말이고 세상에서 가장 많은 금화를 가지고 있는 계층이라는 뜻.

그런 와중에 금화의 가치가 수십 분의 일. 아니…… 적어도 백 분의 일로 떨어졌다. 그들이 몬스터들에게 달아나며 죽어라 챙겼던 금화들이 다 동전 나부랭이가 되었다는 뜻.

고통스러운 일이다.

미치고 팔짝 뛸 일이다.

코인이 1억 원일 때 들어갔는데 며칠 사이에 100만 원이 된 셈이니 바삐 차를 몰아 한강으로 달려가야 했다.

'야단났군.'

헤이즈는 자신이 시대 격변의 순간에 서 있다는 것을 알았다.

귀족이 귀족일 수 있는 것은 그들이 가진 자들이었기 때문이다. 그들은 땅을 가지고 있었고 무력을 가지고 있었고 재화를 가지고 있었다.

그러나 지금, 그들이 가지고 있던 모든 것이 먼지처럼 사라지고 있다. 땅도, 힘도, 그리고 재화도.

그리고 그 중심에 그가 있었다.

한 브론즈소드.

'아니, 이제 와서 그가 브론즈소드라는 성에 집착할까?'

과거 산적들이 청동 무기를 많이 썼다는 유래를 활용한 멸칭. 도저히 귀족 작위를 주지 않을 수가 없어서.

해당 용맥을 관리하던 귀족이 마수들에게 죽임을 당해서 어쩔 수 없이 주면서도 멸시의 뜻을 귀족의 성으로 삼던 왕족과 귀족들의 졸렬함.

귀족들은 그에게 신하의 의무를 바라는 모양이지만 그녀가 생각하기에 웃기지도 않는 소리였다.

'하지만 그가 다른 귀족들의 제안을 받아들이지 않는다면?'

그렇다면 그들은 모든 힘을 다해 한을 제거하려고 할 것이다.

감히 귀족이 지켜야 하는 절대적인 약속을 어긴 대가를 안겨 줄 것이다. 어제까지만 해도 이를 드러내고 으르렁거리던 모든 세력, 모든 국가의 귀족들이 합심하겠지.

수백, 수천 년 아르데니아 역사에서 그래 왔듯 그를 파

멸시킬 것이다.

'그러나.'

문득 헤이즈는 의문이 들었다.

흰색 비늘이 찬란하게 빛나던, 마치 용과 같은 괴수가 떠오른다.

그 등 뒤에 타고 있는 한의 모습 역시.

'그들이 전부 힘을 합친다고…… 한을 이길 수 있을까?'

* * *

〈카심이 포효합니다!〉

한 줄의 텍스트.

-크아아아아--------- 앙!

무지막지한 빛의 파도에 몰려오던 모든 몬스터가 휩쓸린다.

후두두두둑!

터더더덕!

쩔그렁! 쩔그렁!

마치 비처럼 쏟아지는 금화와 아이템들! 그러나 약 5초만에 그 모든 게 사라진다. 카심의 자동 아이템 회수 능력이다.

“아…… 너무 좋다. 지린다, 진짜.”

카심의 만족도는 그야말로 하늘을 찌를 듯 높다. 너무 좋아서 신성 포효의 쿨 타임(12시간)마다 스타팅에서 튀어나와 주변 몬스터를 쓸어 버리는 중이다.

“저, 저는 어드벤쳐 왕국의 브레이브입니다!”

저 아래에서 들려오는 고함.

“뭐냐?”

내려다보니 약 3천 명 정도 되는 민간인과 천 명 정도의 병사를 이끌고 있던 기사가 나를 경외에 찬 시선으로 올려다보고 있다.

“다, 당신은 누구십니까?”

“나는 한 길드의 길드마스터이자 스타팅의 성주인 한재연이다.”

나는 브론즈소드 성을 버리고 이름을 되찾았다. 국가들이 죄다 망테크를 탔는데 그 고까운 성을 유지할 이유가 없었기 때문이다.

그 망할 성씨와 영지를 얻느라 한 고생을 생각하면 여러모로 억울하지만, 상황이 변했으니 별수 없는 일이다.

“스타팅……! 그 레드엑스 영지에 생겼다는 거대한 성을 말씀하시는 거군요!”

“……네가 그걸 어떻게 알지?”

여긴 스타팅 근처가 아니다. 이미 내 영지 근처에 대규모 몬스터 무리는 남아 있지 않은 상황이었으니까.

거의 수백 킬로미터를 날아왔는데 여기 녀석이 스타팅을 안다니?

"소문을 들었습니다. 북쪽에 스타팅이라는 성이 있는데 거지도 통통할 정도로 식량이 충만하고 모두가 평등하며 어디서든 편히 잘 수 있는 낙원이라고……."

"낙원이라니."

어이가 없어 헛웃음 지었지만, 가만히 생각해 보니 크게 틀린 말도 아니다.

피난민들이 워낙 많아 치안이 잠시 불안정했지만 정예병으로 순찰을 돌리고 불량배 녀석들을 싹 잡아 노역을 시키니 많이 안정되었다.

"저, 저도 믿지 않았습니다. 그냥 헛된 희망이라고 생각했는데……."

브레이브는 카심을 슬쩍 보더니 떨리는 목소리로 말했다.

"어쩌면 진짜일지도 모르겠군요."

"쯧. 잠깐 기다려."

나는 잠시 로그인과 로그아웃을 반복해 4천 명 모두가 배불리 먹을 멧돼지 뒷다리를 꺼내 주었다.

생고기지만 주변에 나무가 많으니 알아서 구워 먹을 것이다.

"이, 이건. 세상에……. 아니 설마, 이 소문마저도 진실이었단 말입니까?"

"시끄럽고 환자나 데려 와."

나는 부상자들을 모아 콩 송편(일반)을 먹였다. 콩 송편의 회복력 상승은 보잘것없는 수준이지만 그것조차도 경상자에게는 엄청난 도움이다.

'아, 그렇게나 많이 모아 둔 송편이 떨어져 가네…… 음식 이벤트가 곧 있을 것 같은데.'

나는 모든 과정을 마치고 다시 카심의 등에 올라탔다.

"기댈 곳이 없다면 이대로 북동쪽으로 직진해서 스타팅으로 와라. 정말 낙원일지는 모르겠지만 살기는 괜찮은 곳이니까."

"가, 감사합니다! 하지만 직진이라니 이런 변경의 내지에는 마수들이……."

"다 치웠으니까 걱정하지 말고 와."

그렇게 마무리 짓고 카심의 등을 툭툭 친다. 카심은 그대로 머리가 땅에 닿을 듯 자세를 바짝 낮췄다. 통나무 같은 두 다리에 불끈 힘이 들어가고.

콰앙!

난폭한 이륙! 그 기세에 놀라 사람들이 주저앉는 모습이 보인다.

"가, 감사, 감사합니다!"

외침을 들으며 그대로 북상한다. 귀환 주문서를 써도 되지만 급한 것도 아닌데 귀환 주문서를 쓰기 아깝다.

무엇보다 카심을 타고 나는 게 재미있다!

카심은 기승 펫! 녀석의 특성인 [기승-하늘의 지배자(전설)]로 보정된 비행 속도는 너무나 빨라서 이 엄청난 덩치와 체중을 가지고 100킬로미터를 30분이면 돌파한다.

체력도 얼마나 좋은지 중간에 쉬지도 않는다!

"아, 그런데 너무 좋아서 오히려 문제네."

카심은 너무 강력해 오히려 누구에게도 하사하기 어렵다. 내가 신뢰할 수 있는 부하들에게 희귀 영웅 직업을 나눠 주던 것과는 차원이 다르다.

농담이 아니라…… 인간이 상대라면 치고 빠지고 하면서 나라 하나도 멸망시킬 수 있는 힘.

이런 엄청난 힘은 부하 중 누구에게 줘도 문제가 된다. 힘의 균형추가 완전히 기울어져 버리기 때문이다.

'스틸스톤 같은 녀석에게 몰래 준 다음 아무도 안 볼 때만 쓰게 해야 하나?'

그러나 아무리 스틸스톤이 믿을 만한 충신이라도 위험천만한 일이다. 신성 포효는 너무나 강력해서 방심하다 맞으면 나조차 죽을 위력이 아닌가?

물론 나는 스틸스톤을 믿지만…… 그가 그런 힘을 가지고 있다는 걸 알면 온갖 잡놈들이 스틸스톤에게 접근해 녀석을 흔들어 댈 위험이 있었다.

'하지만 그렇다고 그냥 묵혀 두기에는 너무 아까운 일인데…….'

비행하는 카심의 등에 바짝 붙어 고민에 잠긴다.

"아, 사실 방법이 없는 건 아닌데 이것 참……."

내 말대로 사실 방법이 없는 건 아니다. 누구에게도 하사하지 않고, 그냥 묵혀 두지도 않는 전혀 다른 선택지가 있었으니까.

"욕심이 아니라, 참 어쩔 수가 없구먼."

그렇다. 나에게는 방법이 있었다.

이대로 카심을 네 마리 모아서.

합성한다.

* * *

쿵!

중앙 거래소 뒤편에 마련되어 있는 착륙장에 내려앉는다.

"성주님께 경례!"

"충!"

"어, 그래. 수고한다."

바짝 긴장한 병사들에게 손을 흔들어 주고 중앙 거래소로 향했다.

차지하는 지면이 가로세로 150미터를 넘어가고 위로는 5층, 지하로도 2층이나 있는 이곳은 내가 직접 다이아까지 써 승급에 확장까지 시킨, 최고급 아지트(희귀)를 개조해 만든 곳이다.

성과 성 사이를 오가는 모든 물류의 중심지라고 할 수 있는 장소.

"오셨군요, 성주님."

기다리고 있던 다이아몬드가 꾸벅 고개를 숙이며 나를 반겼다.

참고로 다이아몬드란 이름은 개명한 이름이다.

원래 이름은 마크, 본디 나와 친분이 있는 상단주였던 그는 아르데니아가 던전의 침습을 받으며 상단을 잃고 내 영지로 피난 오게 되었다.

전투에 재능이 없고 충성심도 확인되지 않았지만 눈치가 빠르고 계산에 능해 중앙 거래소를 맡겨 놓은 상태다.

후두둑!

나는 카심의 신성 포효로 정리한 몬스터들의 드랍 아이템을 준비된 테이블 위에 쏟아 냈다.

"가격은 기존대로. 목록과 수량을 정리해서 보고해."

"네, 성주님."

나는 점령한 모든 성에 직영 상점을 만들어 정예병들이 획득한 아이템을 구매하거나 내가 현실에서 가져온 아이템을 판매하는 창구로 만들었다. 이는 은행의 역할도 겸하고 있기에 이곳의 보고서만 확인해도 모든 물류의 흐름을 한눈에 확인할 수 있다.

'골드 가치가 점점 떨어지는군. 역시 강화 주문서만으로는 한계가 있어.'

하긴 리벤지 안에서 골드 사용처가 고작 강화 주문서만 있는 건 아니다. 수백 개씩 사야 하는 포션, 화살, 골드로 구매해야 하는 음식, 수리비.

그러나 뭐니 뭐니 해도 골드가 가장 많이 필요한 곳은 제작과 스킬북이다.

'제작은 상황이 안 돼.'

제작에 들어가는 재료는 복합적이어서 한 장소에서 드랍되는 아이템만으로는 무엇 하나 만들 수 없다.

단순히 희귀급 경갑만 만들려고 해도 최고급 가죽과 최고급 보석, 희귀급 몬스터들이 드물게 떨구는 희귀급 레시피, 그리고 장비들을 분해하면 얻을 수 있는 혼의 결정과 상당량의 골드가 필요하다.

나머지는 모두 획득이 가능하다. 멧돼지가 드랍하는 가죽이 하급이라는 문제가 있지만 1,000장을 모아 최상급까지 올리면 그만 아닌가?

문제는 보석이다.

'가장 가까운 곳도 11칸 아래다. 너무 멀어.'

리벤지에서야 도시마다 있는 텔레포트 게이트를 이용하면 되지만 여기서는 그런 일이 불가능하다. 게이트는 성의 등급을 전설급까지 열려야 해금되는 건축물이기 때문이다.

'그리고 스킬북 상점은 존재도 하지 않는다.'

리벤지와 달리 아르데니아에는 NPC가 없다. NPC가

없으면 NPC가 운영하는 상점이 존재하지 않는 것 역시 필연.

우리가 사용할 수 있는 건 시스템 인터페이스에서 직접 접촉이 가능한 다이아 상점과 길드 상점뿐이다.

'스킬북 상점이 있었다면 골드의 가치가 떨어지기는커녕 올라갔을지도 모르지.'

익히면 자동으로 이능을 발현할 수 있게 만들어 주는 스킬북은 모든 정예병이 가지길 바라 마지않는 보물이다.

'게다가 비싸기는 또 얼마나 비싸.'

일반 등급 스킬만 해도 1만 골드. 고급 등급은 10~50만 골드나 하고, 희귀 등급은 500~700만 골드나 한다.

심지어 스킬북 상점에서 파는 몇 안 되는 영웅 등급 스킬은 그 가격이 2,000~4,000만 골드나 하니 자동 사냥을 돌리는 리벤지에서도 구매하는 데 긴 시간이 걸리는 물품.

"뭐…… 너무 널뛰기해도 문제니 이 선을 유지해야겠지. 스킬북은 몰라도 제작은 나중에 가능해질 테니."

이런저런 이유로 당장은 시세가 계속 떨어질 수밖에 없는 구조지만 나는 금화의 가치를 원래 가치의 1% 선에서 유지시켰다.

별로 어려운 일은 아니다.

그저, 내 인벤토리에 들어온 골드를 꺼내지 않고 묶어

두는 것만으로 골드의 가치는 유지된다. 시중에 쌓여야 할 골드가 모조리 내 인벤토리로 빨려 들어와 나가질 않는데 어찌 폭락하겠는가?

'이게 지구에서는 말이 안 되는 일인데.'

그러나 이곳에서는 가능하다. 내 영지의 모든 경제 흐름은, 사실상 나에게 종속되어 있기 때문이다.

생각 난 김에, 내 인벤토리를 확인한다.

– 54억 8,744만 3,211골드

– 1,425만 3,722명예 코인

인벤토리에 수납된 골드와 명예 코인은 부피도 무게도 없기에 잔뜩 가지고 있을 수 있다. 심지어 이건 내 개인 재산으로, 시민들에게 거둬들이는 세금은 따로 모아서 예산으로 사용하고 있다.

'이 골드를 리벤지에서 쓸 수 있으면 좋을 텐데.'

그러나 현재는 리벤지의 아이템을 삭제해 가져오는 것만 가능하다. 아니, 설사 반대가 가능하더라도 절대 하면 안 되겠지.

아이템이 사라지는 거야 그냥 삭제지만, 없던 아이템이 생기는 건 누가 봐도 해킹이니까.

"충!"

"그래그래."

예를 표하는 병사들에게 손을 흔들어 주고 영주성으로 들어갔다.

"돌아오셨군요, 영주님."

"그래. 별일은 없어?"

"네 왕국의 사신단이 도착했습니다."

"아, 그래? 빨리 왔네. 좀 쉬다가 접견실로 오라고 해."

별로 중요한 문제가 아니었기에 대충 고개를 끄덕이고는 결재 서류들을 살폈다.

'길드 창설 신청이 있군…… 그래. 한 길드는 8레벨이 되었으니 슬슬 허락해 줘도 되겠지.'

길드 수가 많아야 출석 보상도 더 많이 들어오고 궁극적으로는 플레이어들이 클래스 카드를 자급자족할 수 있게 된다.

휘하 병력이 만 단위가 훌쩍 넘어가는 지금. 그 모든 병사의 클래스 카드를 내가 사 줄 수는 없는 노릇이었다.

과금할 게 한두 개가 아닌데 클래스 카드에 억 단위로 쏟아붓는 건 여러모로 미련스러운 일.

'창설 비용 100만 골드. 꽤 큰돈이지만 충분히 가능하겠군. 그럼 [은십자 길드]와 [마탑 길드], [양몰이 길드]와 [깃발 길드]를 허용한다.'

한 길드의 레벨 업 속도가 줄어들겠지만, 전체적인 역량을 올리기엔 이게 더 낫다.

리벤지에서야 그냥 보너스 느낌이지만 이 [무과금 세

계]에서 길드 출석 보상은 무시할 수 없는 가치를 지니고 있으니까.

"아, 맞다. 사신단은?"

일을 어느 정도 처리하고 나니 그제야 그 문제가 떠오른다.

'뒤지게 바쁘네, 진짜.'

사실 체계가 어느 정도 잡히면서 여유가 생겼는데, 카심을 얻은 뒤 열두 시간마다 나가서 사냥하니 다시 일이 밀리기 시작했다.

"접견실에서 대기 중입니다."

"아, 기다렸겠군. 곧 간다고 해."

그렇게 말하고 자리에서 일어난다.

복장 변경은 간단하다. 인벤토리에 있는 천옷(마법사용) 중 가장 괜찮은 것으로 교체하면 되니까.

"성주님께서 들어오십니다."

병사의 목소리와 함께 접견실로 들어섰다. 그 안쪽에 자리하고 있던 8명의 남녀가 보인다.

아무래도 플라워가 접견 인원을 세력당 두 명으로 제한한 모양이다.

'알아서 잘하는군. 하긴 15살까지는 귀족 집안에서 일했다고 했으니.'

우리 영지에 머물게 된 대부분의 사람이 그러하듯 플라워도 사연 많은 인재다.

외과 수술을 할 수 있는 인재를 찾다가 만났던 소녀. 뛰어난 머리와 결단력을 가졌음에도 출신과 성별의 한계에 좌절하던 이였다.

“만나게 되어 반갑습니다. 여러분. 스타팅의 성주이자 한 길드의 마스터인 한재연입니다.”

그들에겐 익숙지 않은 한국식 이름이지만 흔히 나오는 클리셰처럼 한째요온? 하는 거지같은 상황은 벌어지지 않는다. 누누이 말하지만 리벤지는 한국 게임이고 이곳의 사람들은 한글을 쓰니까.

무엇보다 천원을 먹고 있는 명 제국에 남궁세가라든가 모용세가라든가 하는 가문들이 있으니 이런 식의 발음이 낯설지도 않았다.

“성을 버렸군. 영광스러운 자리에서 폐하께 받았던 귀족의 성씨를.”

중후한 외모의 중년 사내가 나직한 목소리로 말한다. 마치 아랫사람을 꾸짖는 듯한 말투.

크롬 왕국을 제외한 세 왕국의 사신들이 한순간 눈치를 살피는 모습이 보였다. 그의 말을 막지도 않지만 그렇다고 거기에 말을 보태지도 않는 것은, 그것이 그들이 선택한 처세인 모양이다.

피식.

절로 웃음이 나왔다. 지긋지긋하고 피 말리던 기 싸움이, 귀족이라는 직위의 불합리함이. 그리고 무엇보다 이

자리가 솜털같이 가벼워 웃을 수밖에 없었다.

"정신 차려, 일라인. 눈치라는 게 없나? 아니면 굳어버린 머리통이 변한 상황을 받아들이지 못하는 모양이지."

"뭐, 뭣……?"

일라인 실버소드. 크롬왕국 전대 최강자이자 실버소드 백작가의 가주인 그의 얼굴이 험악하게 일그러진다. 그는 귀족이 되기 전의 나를 기억하는 인물이니 설마 이 정도의 면박을 당할 거라고는 예상하지 못한 모양이다.

"예의를 지켜 주면 그만한 존중이 있어야지. 바빠 죽겠는데 별 수준 떨어지는…… 그리고 너희."

나는 지금껏 아무 말 안 하고 있는 세 왕국의 사신들을 바라보았다.

"네? 아, 네. 이것 참 유감스런."

"참 생각이 많은 것 같군. 태도도 명확하게 못 정하고 오다니. 접견은 파하겠다. 모두 스타팅을 나가라."

"무, 무슨? 네!? 아니 우리는 아무 상관도……."

"잠깐! 잠깐만요 성주님!"

아무 말 없던 사신들이 아우성 쳤지만 신경 쓰지 않고 자리에서 일어나 접견실을 나간다. 말이 안 되는 외교 결례였지만 지금 나와 저 망국(亡國)의 사자들 사이에는 이 '이상'도 가능한 힘의 차이가 있었다.

그것을 모르고 왔다면 모르는 대로 당해야지.

"한."

접견실을 나와 집무실로 올라가던 내 뒤를 헤이즈가 따라왔다. 뒤를 돌아보니 다른 사신들은 보이지 않는다. 그들이 알아서 자제했을 리는 없으니 병사들의 제지를 받았다는 뜻. 내가 따로 말도 안 했는데 헤이즈만 통과시킨 것이다.

'플라워, 진짜 일 잘하는데?'

내심 감탄하며 헤이즈를 돌아보았다.

"또 보네."

"또 보네? 이 인정머리 없는 놈. 십 년 만에 만나서 몇 마디도 안 하고 날아가더니 할 말이 고작 그거냐?"

호탕하게 웃으며 내 등을 팡팡 친다. 그리고 점점 접근한다. 그냥 대화를 나누기에는 과하게 가까운 거리.

그리고 우리 둘의 거리가 바짝 붙었을 때, 헤이즈가 속삭였다.

"크롬 왕국의 기사 서임식은 고대의 아티팩트 위에서 이뤄지는 저주 술법이야. 네게 낙인이 걸려 있고 아티팩트를 가지고 있다면 언제든 발동시킬 수 있어. 실버소드 영감과 독대하거나 일대일로 싸우는 상황을 피해."

그렇게 말하고 헤이즈는 내 눈을 빤히 바라보았다. 코와 코가 닿을 정도로 가까운 거리. 거기에서 그녀는 한 걸음 물러서는 대신.

오히려 내디뎠다.

"……."

단단하게 단련된 허리를 팔로 감아 당긴다. 큰 정도를 넘어 거대하기까지 무언가가 내 가슴팍을 짓누르는 게 느껴진다.

잠시의 시간이 지나고 그녀가 뒤로 물러난다. 흥분으로 상기된 얼굴이 재미있다.

"이래도 괜찮은 거야? 크롬 왕국에서의 입지라는 게 있을 텐데."

"하하, 내 걱정을 하는 거야? 인마! 내가 성검 스텔라의 주인이라는 걸 잊었어? 나 결투기사야, 결투기사! 크롬의 듀얼리스트라고!"

이제는 40살이나 먹은 아줌마지만 탄탄한 팔근육을 드러내며 호탕하게 웃는 헤이즈의 모습은 과거의 그녀가 그러했듯 아름답다.

"음?"

그런데 익숙한 단어가 신경 쓰인다.

"듀얼리스트?"

"뭐야, 너 설마 내 별칭도 몰라? 아무리 우리가 멀어졌어도 왕년의 정이 있는데 너무한 거 아니냐?"

"……잠깐."

나는 잠시 인터페이스를 조작해 카드 한 장을 넘겼다.

"이것 좀 받아 봐."

"엥? 잠깐 이거 설마, 그 소문의."

"받아."

번쩍!

그녀의 손에 카드를 올리자 영웅 등급을 뜻하는 보랏빛이 터져 나온다. 그런데 그 빛이 한 번으로 끝나지 않는다.

팟! 팟! 파파파파팟!

보랏빛이 마구 터져 나온다. 단순 클래스 습득과는 뭔가 달랐다. 헤이즈가 두 눈을 까뒤집고 부들부들 떨고 있다.

나는 깨달았다.

"너구나."

리벤지의 직업들은 아르데니아의 과거에 존재했거나 미래에 존재할 모든 전승을 취합하여 만들어진 것이다. 역사와 전통이 있는 제국 기사가 그러하고 아직 생겨나지도 않은 머스킷티어와 캐노니어가 그러하다.

그리고 지금 내 앞에 있는 헤이즈.

틀림없이 영웅이 되기에 충분한 자질을 가지고 있던 여인.

"네가…… 영웅 클래스, 듀얼리스트의 원형(原型)이었어."

어느 날.

용맥이 무너져 내리며 온갖 괴물들이 쏟아져 나왔다.

괴물들은 끔찍하게 강했다.

평소 으르렁거리던 국가들도, 한 하늘을 이고는 살아갈 수 없다고 호언장담하던 철천지원수들까지 힘을 합쳐도 중과부적.

대륙의 지배자였던 인류는 삽시간에 모든 것을 잃고 변방으로 쫓겨났다.

심지어.

그것조차 시작이었다.

괴수들이 모습을 드러낸, 통칭 [대이주]의 날로부터 고작 1년 만에 대륙에 살던 인간 10명 중 9명이 죽었다.

괴멸적인 피해였지만 그래도 남은 인원들은 어떻게든 세력을 모아서 괴물들에게 대항하고자 했다.

저주스러운 냉기의 괴물들에게 수도를 빼앗긴 크롬 왕국 역시 그랬는데, 그들은 블루웨일 백작령에 자리를 잡고 세력을 키워 나갔다.

언젠간 우리의 터전을 되찾고 말리라!

모든 기사와 마법사, 병사들까지 결의를 높게 세웠지만…… 현실은 냉혹했다.

1년이 지나고, 5년이, 10년이 지나고…….

제국이 무너졌다. 수많은 왕국이 멸망하고 셀 수 없이 많은 결사대가 전멸했다. 블루웨일 백작가에 모여 있던 크롬 왕국군 역시 어느 순간, 흐지부지 사방으로 흩어졌다.

그녀, 헤이즈 스타라이트는 고향을 잃고 온 대륙을 떠돌며 인간을 위해 싸웠다.

괴물들은 강했다.

단순히 힘이 세고 덩치가 큰 정도가 아니라…… 그들은 아르데니아의 인간들이 상상도 못할 신비(神祕)를 품고 있었다.

싸우고, 싸우고, 또 싸웠다.

죽이고, 죽이고, 또 죽인다.

패배하고, 도주하고, 몸을 숨겼다.

[대이주]로부터 어느새 15년.

제대로 된 인간의 세력은 오직 하나만 남았다. 명 제국과 신성제국은 물론이고 크리스털 연맹, 8왕국 모두가 뭉쳐 만들어진 집단.

[리벤지]

인간의 수는 너무나 줄어 그 흔적조차 찾기 힘들게 되었다. 100명 중 99명. 아니 어쩌면 1,000명 중 999명의 인간이 사멸한 것.

그 증거로 리벤지에 소속된 인원 중 크롬 왕국 출신은 그녀밖에 없었다.

그러나 희망은 있었다. 여신의 계시가 있던 것이다.

-구원자가 강림해 괴물들에게서 대륙을 되찾을 것이다!

모두가 환호하고 기대했다. 그야말로 가뭄에 단비와도 같은, 모두가 기대하고 있던 계시.

그러나 어쩐 일인지 구원자는 강림하지 않았다.

리벤지는 구원자를 기다리며 5년을 더 버텼지만…… 결국 괴물들의 공세를 이기지 못하고 무너졌다.

이후 복수자들은 뿔뿔이 흩어져 명맥을 유지하기로 합의했고 성녀는 목숨을 바친 신성 주문으로 숨겨진 섬, 무릉도원(武陵桃源)으로의 항로를 열어 주었다.

그런 섬이 총 네 개가 있었다. 각각 대륙의 네 모서리에서 갈 수 있는 비경.

수인족은 대륙의 좌상귀에서 이동할 수 있는 파라다이스(Paradise)로.

드워프는 대륙의 좌하귀에서 이동할 수 있는 샹그릴라(Shangri-La)로.

엘프는 대륙의 우하귀에서 이동할 수 있는 엘도라도(Eldorado)로.

그러나 그마저도.

모두 갈 수 있는 것은 아니었다.

"하악…… 하악……."

초인의 경지에 이르렀음에도 제 호흡조차 간수하기 어

렵다.

레이피어를 든 팔이 부들부들 떨리고 조금만 방심해도 무릎이 풀릴 것 같다.

"드디어 내 손에 들어왔군. 크롬의 듀얼리스트. 성검의 결투기사! 내가 이런 날이 오길 얼마나 기다렸는지. 그대는 아나?"

"너, 네놈. 이 인류의 배신자! 역겨운 배교자 놈이……!"

끝까지 괴물들과 맞서 싸웠던 다른 이들과 달리 신성제국의 중추는 그들과 손을 잡았다.

그것도, 가장 최악의 형태로.

콰악!

피가 흩뿌려진다. 거대한 피의 검을 든 사내, 흡혈귀 데모닉 백작이 웃는다.

"감히 너 따위가 배교를 논하다니. 일단 두 팔과 다리를 자르고 경전의 가르침에 대해 사흘 밤낮 가르쳐야겠구나."

"그 역겨운 혀를 뽑고 심장에 말뚝을 박아 주마!"

그리고 그렇게.

듀얼리스트와 흡혈귀 백작이 충돌한다.

"아……."

헤이즈는 눈을 떴다. 그녀는 잠시 멍한 눈으로 주위를 둘러보았다. 깔끔한 분위기에 고급스러운 침구를 갖춘

방. 창밖을 내다보니 성채 도시가 한눈에 내려다보인다.

"영주성이군…… 윽!"

그녀는 잠시 머릿속에서 휘몰아치는 기억을 정리했다. 머리가 깨질 것 같았지만 불굴의 기사였던 그녀가 못 견딜 정도는 아니었다.

"내가…… 내가 20년 전의 과거로 돌아온 건가?"

그러나 기억을 되새기던 그녀는 뭔가 다르다는 것을 깨달았다.

20대까지의 기억은 동일하다. 그녀는 스타라이트 가문에서 태어나 비범한 재능으로 기사가 되었다. 그러다 가문에서 정해 준 정략결혼에 머리를 식히겠다며 가문을 뛰쳐나왔고…… 그리고…….

"한."

달랐다. 거기부터 기억이 갈렸다.

꿈속의 그녀는 세상을 떠돌아다니다 역겨운 산적 놈들과 기사들의 수작질이 지겨워 가문으로 돌아갔다.

현생의 그녀는 세상을 떠돌아다니다 그러다가…….

한을 만났다.

"뭐지?"

폭시 왕국과의 전쟁에서 패배했어야 했던 크롬 왕국이 승리했고 산적 출신의 이방인이었던 한은 크롬 왕국의 남작이 되었다.

그리고 그는…… 지금쯤 그린스킨들이 판을 쳐야 할 북

부를 평정하고, 어지간한 왕국보다도 거대한 세력을 만들어 냈다.

그의 존재 때문일까?

본래 오크 군단에게 엉망으로 당했어야 할 블루웨일 백작령이 비교적 무사했고, 크롬 왕국군은 군세를 추스를 수 있었다.

"한, 너는 뭐지? 누구지?"

멸망을 향해 미친 듯이 달려가야 할 역사가 바뀌고 있다. 본래 시간대에서는 볼 수 없던 한 존재 때문에.

물론 이 정도로는 어림없다.

그녀는 내륙의 괴물들이 얼마나 강하고 무시무시한지 알고 있었다. 소드 마스터의 경지에 오르고서도 도망조차 힘겨웠던 괴물들.

"하지만……."

그녀는 한재연이 타고 다니던 드레이크를 떠올렸다. [복수]의 영웅으로서 대륙 전체를 누비고 다닐 적에도 본 적 없는 웅장한 성과 그 안에서 힘을 기르던 사람들. 그리고 그들 모두를 배불리 먹일 수 있는 불가해한 양의 물자까지.

"너, 설마."

그 때문에 그녀는 생각할 수밖에 없었다.

어쩌면.

정말로 어쩌면 그는.

"네가 구원자라고……?"

* * *

원혼이 똬리를 틀고 있는 폐가에 들어갔을 때도 누구는 귀신을 보고 누구는 보지 못한다.

똑같이 저주받은 인형을 안고 자도 누구는 악몽을 꾸고 누구는 꾸지 않는다.

이처럼 영적인 공격은 대상의 영감에 영향을 받는다. 영감이 둔한 자는 저주술사가 살(煞)을 쏘아도 그저 컨디션이 안 좋아지는 게 전부고, 영감이 과하게 깨어 있는 자는 누군가 밤새 나를 욕한 것만으로도 영향을 받는다.

그렇다면 나는 어떨까?

"와, 강제 각성이 이렇게 힘든 놈은 네가 처음이다. 이 거대 설비를 가지고도 이 지경이라니…… 야, 이 정도면 대악마의 저주도 안 통하겠는데? 이게 딱 그 상황 아니냐?"

"무식한 귀신이 부적을 몰라본다."

"맞아. 딱 그 상황이네."

시청에서 일하던 선별사들의 대화가 떠오른다.

그들의 말대로 내 영감은 0에 수렴한다.

수천억 명이 넘는 데이터베이스에도 고작 13건밖에 없는 경우라고 한다.

"저주라니."

너무 기가 차서 웃음밖에 안 나온다.

"중세 랜드 주제에 별 걸 다하네. 나름대로 판타지라, 이거야?"

나는 들고 있던 서류들을 내려놓고 몸을 풀었다. 저주에 대해서는 조금도 걱정하지 않았다. 걸렸을 리도 없고, 혹여 걸렸대도 고위 치유술사인 토마스 중위가 치유했을 것이다.

34지구 출신이 아니어서 입대해야 했을 뿐, 토마스 중위는 어르신들 주치의를 할 수 있을 정도의 고위 능력자다. 아티팩트건 뭐건 내 몸에 뭔가를 걸었다면 들키지 않을 수가 없으리라.

나는 쓸데없는 생각 대신 헤이즈에 대해 생각했다.

'듀얼리스트.'

영웅 클래스로 검왕을 얻기 전 잠깐 사용했었다. 검왕이 치명타 특화 클래스라면 듀얼리스트는 패링 특화로 약한 다수의 적보다는 한 명의 강자에게 강한, 흔히 PVP 전문이라 불리는 클래스다.

'분명 보라색 이펙트가 6번 터졌다.'

그때는 그 모습이 정확히 무슨 뜻인지 알 수 없었지만, 공식 홈페이지를 확인한 지금은 달랐다.

'듀얼리스트 전용 스킬의 수가 5개지.'

즉, 그녀는 영웅 클래스를 얻으면서 자동으로 영웅급

스킬 5개도 획득했다는 말이다. 제작으로밖에 얻을 수 없어서 가격이 미쳐 돌아가는 전용 스킬들을 들고 시작했다는 것!

그러나 내가 보기에 그녀의 특별함은 그냥 전용 스킬을 더 얻은 정도가 아니었다.

'환골탈태(換骨奪胎)했어.'

그 때문에 사람들을 시켜 그녀를 씻길 수밖에 없었다. 그녀의 전신에서 흘러나온 탁기로 입고 있던 옷은 태워 버리기까지 했다.

"성주님."

"아, 플라워. 녀석은? 깼어?"

내 말에 플라워가 고개를 끄덕였다.

"네. 데리고 올까요?"

"급할 건 없으니 좀 추스르고 오라고 해. 기본적인 무장도 챙겨 주고."

그렇게 말하고 다시 보고서를 잡아든다. 그런데 어쩐 일인지 플라워의 기척이 사라지지 않는다.

"플라워?"

"벌써 두 달 가까이 아무것도 드시지 않았습니다. 물 한 모금 안 드셨어요."

걱정이 가득한 목소리에 난처한 표정을 짓는다.

'하지만 물도 지구산이 맛있는걸…… 웬만하면 주스를 먹는 편이고.'

그러나 그녀의 걱정은 당연한 것이다. 자신의 상관이 두 달 가까이 물 한 모금 안 마시는 걸 어떻게 그냥 넘기겠는가?

"괜찮다니까. 그리고 카심을 타고 나갈 때마다 먹고 있어. 몸 상태도 이렇게 좋잖아?"

"죄송하지만 그 드레이크가 생기기 전부터 안 드셨습니다."

"괜찮은데."

그렇게 궁시렁거렸지만 걱정 가득한 플라워의 말을 마냥 무시할 수도 없었다.

"내일부터 먹을게."

"네! 준비하겠습니다!"

환하게 웃으며 집무실을 나서는 플라워의 모습을 보다가 쓰게 웃었다.

그리고 말했다.

"로그아웃."

파스타 면을 포크에 돌돌 말아 달콤한 크림을 듬뿍 묻혀 한 입 베어 문다. 입안에서 깊은 우유의 풍미가 확 하고 터진다.

"아."

너무 맛있다.

나는 파스타를 시작으로 또 한 끼 푸짐하게 먹었다. 마지막이라는 생각에 종류별로 골고루 먹고 마지막으로 아이스크림까지 먹었다. 시중에서는 팔지도 않는 고급 아이스크림.

나는 두둑해진 배를 두드리며 자리에서 일어났다.

"조식은 이걸로 끝이구먼."

아쉽지만 사실 좀 오래 있긴 했다. 시간을 확인하니 벌써 10시. 새벽 6시에 내려왔으니 벌써 4시간 동안 조식을 먹고 있는 셈이다. 고개를 돌려보니 저 멀리서 질린 표정으로 내 쪽을 바라보는 직원들이 보인다.

'그래, 적당히 해야지.'

아무리 6성 호텔이라도 자기 체중의 두 배 이상 먹는 손님은 좀 부담스러울 것이다.

"마, 맛있게 드셨습니까."

뷔페를 나서는 내게 직원이 인사한다.

"네. 진짜 맛있게 먹었습니다."

"주방장 분들도 좋아하실 겁니다."

직원의 인사에 적당히 웃어 주고는 뷔페를 나선다.

"로그인."

아르데니아로 들어간다. 그리고 서류 세 장을 순식간에 해결한다. 지구에서 식사하며 정리한 생각과 정책을 이해하기 쉽게 풀어썼다.

그런데 그때였다.

뿅!

소리는 나지 않았지만 대충 그런 느낌으로 눈앞에 10

이라는 숫자가 떠올랐다.

"……뭐지?"

너무 난데없는 일이라 놀라지도 못하고 그저 멍하니 그것을 바라보았다.

그리고 그렇게 있자.

[10]

단지 숫자뿐이던 그것이.

[10주]

이렇게 변했다.

"10주? 이게 무슨 말이야? 주인이라는 뜻인가? 빨갛다는 뜻? 아니면 10명이 산다는 뜻?"

그러나 내 말에도 더 이상의 변화는 없다. 그냥 10주에서 유지되고 있었다.

"어디서 뭐가 변한 건가? 하…… 이거야 원. 채팅이라도 되면 수하들한테 물어보기라도 할 텐데."

짜증을 내는데 문득 그것이 다시 변했다.

[4주]

"줄어들었어?"

한 번에 줄어든 게 아니라 9. 8. 7. 이런 식으로 4까지 줄어들었다.

그리고 그러자.

스틸스톤 : 알? 왼ㅇ려　ㅑㅈ? 어어? 이게 뭐지?

"……어?"

느닷없이 그것이 올라왔다.

채팅이!

"아니 뭐라고? 아니 잠깐. 설마 내가 채팅이라도 되면 이라고 해서 된 건가? 그럼 헌드레드와도 연결해!"

내 말에 4였던 숫자가 0까지 줄어들었다가 다시 4로 돌아왔다.

아무래도 힘이 모자라서 실패한 모양이다.

"아니 이게 뭐야……."

스틸스톤에게 채팅을 보낼 생각도 못 한 채 입을 열었다.

"로그아웃."

지구로 돌아온다. 상황이 뭔지 모르지만, 일단 방으로 가서 상황을 정리하고자 한 것이다.

그리고 방에 도착한 그 순간.

나는 [10주]라는 글자가 뭘 뜻하는지 알게 되었다.

[킬리언스님께.]

네메시스의 유저 간담회는 주주님들과의 만남 역시 겸하고 있습니다. 그러나 특별 손님으로 오신 킬리언스님은 주식이 없으시지요. 원래대로라면 유저 간담회에 참가할 수 없지요.

그러나 실망하실 필요 없습니다! 제가 특별히 10주를 선물로 드릴 테니까!

이제 우리는 회사와 고객이 아닌 가족!

앞으로도 잘 부탁드립니다!

-네메시스 대표. 배사랑.-

"……."

객실 테이블 위에 올라와 있는 쪽지에는 고풍스러운 디자인의 종이 주식 10장이 들어있다.

나는 잠시 그것들을 멍하니 바라보다 로그인했다.

"채팅 다 없애."

말과 동시에 시야 한편에 떠 있던 채팅이 날아가 버리고 눈앞의 숫자가 변한다.

[10주]

"아니 진짜로 10주가 주식을 말하는 거였다고?"

어쩌면 희소식이다. [시스템] 그 자체에 간섭할 방법을 찾아낸 것이나 다름없었기 때문이다.

"아니 잠깐, 지금 과금할 돈도 모자라는데……."

그러나.

"주식까지 사야 한다고?"

당장은 암담할 뿐이다.

딩동!

알림음에 고개를 돌린다. 그러고 보니 객실에 도착해 있는 선물은 주식이 전부가 아니다. 테이블 옆에 잘 빼입은 마네킹이 서 있던 것.

거기에도 쪽지가 붙어 있다.

[추신]

아! 그리고 입고 오신 옷이 간담회의 드레스 코드와 맞지 않는 것을 확인했습니다. 저희 고객들은 체면을 따지는 분들이 많아서…… 이 또한 선물입니다.

나는 쪽지를 치우며 정면의 마네킹을 보았다.

"와, 진짜 고객 감동이네."

마네킹이 걸치고 있는 건 고급스러움이 절로 느껴지는 양복이다. 다크 그레이로 무난하게 입을 수 있는 색감. 어깨부터 깔끔하게 떨어지는 라인, 부드러우면서도 탄력이 느껴지는 소재의 천까지.

나는 그것을 마네킹에게서 벗겨 입어 보았다.

마치 치수를 잰 듯 몸에 착 달라붙는 느낌에 만족스러워하며 마네킹에 달려 있던 스마트 워치도 떼어서 찼다.

원래부터 약속되어 있던 에너지 실드와 블링크 주문이 영구 각인된 스마트 워치, [리벤지]이다.

"잠깐 이 옷…… 뭔가 익숙한데?"

나는 놀라서 상표를 확인했다. 자켓 안쪽에 은은한 금사로 새겨진 로고가 보인다.

"아, 진짜 블랙 라이트닝잖아?"

옷 주제에 뭐 이리 멋진 이름이냐고 할 수 있지만 이건 평범한 옷이 아니다. 2급 마법기로 자동 복구 주문과 방호 주문, 거기에 속성 저항 능력까지 붙어 있다.

"이거 750만 원이었는데……."

내가 잘 안다. 왜냐하면, 홈쇼핑 광고 때 이걸 입고 쏟아지는 마탄을 맞아 본 적이 있으니까!

문득 드는 생각에 체다를 허공에 띄워 네메시스를 검색한다.

"주식이 한 주에 얼…… 뭐? 150만 원!?"

어이가 없다. 배사랑 대표가 2,250만 원치 선물을 준 셈이기 때문이다.

이쯤 되면 고객 감동 수준을 넘어선다.

'아니, 진짜 나에 대해 아는 거 아닌가?'

그러나 곰곰이 생각해 보면 그렇다고 보기엔 여러모로 이상하다. 내 능력을 그녀가 알고 있다면 굳이 이런 식으로 정보를 퍼 줄 이유가 없기 때문이다.

그녀 덕에 나는, 더미로 만든 아이템을 아르데니아에서 쓸 수 없는 것과 주식으로 시스템을 간섭할 수 있다는 사실을 알았다.

이는 단순히 게임을 열심히 하는 것만으로는 접할 수 없는 중요한 정보였다.

'아무리 생각해도 일을 이렇게 할 이유가 없어. 그냥 큰 그림이라고 생각하기엔 너무 이상해.'

온갖 생각이 들었지만 늘 그러했듯 내가 할 수 있는 선 안에서 최선을 다하기로 마음먹는다. 내가 도저히 가늠할 수 없는 큰 그림이 있다면 그것에 대해 고민하는 것 자체가 낭비라는 생각이 들었기 때문이다.

"냐옹 냐옹 냐옹."

그때 체다가 운다. 간담회 참석 시간이 다가왔다는 뜻이었기에 방을 정리하고 나간다. 실제로는 1박 2일. 체감상으로는 한 달은 머문 것 같은 객실의 마지막.

나는 초청장에 써 있는 안내에 따라 간담회 장소로 이동했다.

"아니…… 여기가 간담회 장소라고?"

네메시스의 유저 간담회는 내가 생각한 것과 전혀 다른 분위기의 장소에 준비되어 있었다.

생각했던 아이돌 가수의 무대, 유저들의 환호성, 자잘한 이벤트와 선물 따위는 전혀 없는 차분하고 진중한 분위기.

유저 간담회가 아니라 무슨 학술회 같은 게 열린 듯한 장소였다. 실제로 1명. 2명. 혹은 4명 단위로 나눠진 테이블에 앉아 있는 이들 대부분이 양복을 말쑥하게 빼입은 중장년층이다.

"딱 맞춰 오셨네요! 이리로 이리로!"

그래. 이 사람만 빼고 말이다.

"먼저 와 계셨네요. 이성재 씨."

"하하. 아침도 걸렀더니 출출해서요. 아침까지 팬 미팅을 좀 격하게 했더니."

"……."

팬 미팅이라는 말에 입이 절로 벌어진다.

'내가 꼰대인 건가? 중세 랜드에 너무 오래 있었나!?'

잠시 혼란스러웠지만 이내 마음을 가다듬고 그의 옆에 앉았다. 내가 그의 옆에 앉자 떨어져 있던 테이블이 마치 살아 있는 듯 움직여 하나로 합쳐진다. 위에 올라가 있는 음료에 물결 하나 일어나지 않을 정도로 정숙한 움직임이다.

'나노 머신…… 진짜 전부 최고급이군.'

내가 옆에 앉자 성재가 입을 열었다.

"와, 그런데 오늘은 평소보다 사람이 많이 왔네요. 웬만하면 백 명 안쪽이었는데 거의 이백 명은 되어 보여요. 평소보다 센 선물도 그렇고 네메시스에서 되게 신경 썼나 봐요."

그가 소곤거리는 사이 유저 간담회가 진행된다.

"안녕하세요. 네메시스 권형준 부장입니다. 간담회를 본격적으로 시작하기에 앞서, 2089년 리벤지 간담회에 참석해 주신 것에 깊은 감사를 드립니다. 이번 간담회에는……."

권형준 부장이 차분하게 발표를 시작한다.

가장 먼저는 역시나 게임 이야기였다. 신규 업데이트. 새로운 아이템과 스킬. 세세한 밸런싱 등등.

"체다."

나는 체다를 테이블에 앉힌 뒤 권형준 부장의 발표 중 중요해 보이거나 쓸 만해 보이는 정보들을 메모했다. 이런 자리를 많이 겪은 듯 그는 중간중간 농담도 던지고 표를 제시하기도 하면서 순조로이 설명을 이어 나갔다.

어느 정도 시간이 지나자 그는 조금 다른 결의 이야기 하기 시작했다.

"모두 아시다시피 올 매출이 이렇게까지 늘어났던 것은 놀라운 기적 때문이기도 하지요. 신화의 시대라고 하던가요? 솔직히 말해서…… 없는 거나 다름없는 콘텐츠라고 생각했는데 깜짝 놀랐습니다."

그가 그 이야기를 꺼내자 몇 개의 시선이 내 쪽으로 날아드는 게 느껴진다.

'역시 아는 사람은 알고 있나.'

그러나 내가 뭘 잘못한 건 없었기에 신경 쓰지 않았다. 나를 쳐다봤던 사람들도 그냥 한 번 보고 마는 분위기.

그리고 그런 상황에 권형준 부장이 말을 이어 간다.

“그리고 그렇게 벌어들인 수익을…… 대표님께서는 99% 이상 재투자하셨습니다. 아니, 사실 그 정도가 아니지요. 거기에 회사 보유금도 쏟아부었고, 심지어 자비까지 쏟아 넣으셨습니다.”

뜻밖의 말에 사람들이 술렁이는 모습이 보인다. 개중 몇은 뭔가 아는 게 있는 듯 눈을 크게 뜨고 있다.

내 옆의 성재가 작게 중얼거린다.

“와, 설마 그 소문이 정말인가?”

“소문이라니요?”

“아, 사실 저도 가문에서 흘러 다니는 말을 들은 정도지만…… 요번에 번 수익으로 네메시스가 리전하고 기술 제휴를 맺었다고 하더라고요. 너무 말이 안 되는 이야기라 무시했는데.”

그의 말에 흠칫한다.

‘뭐? 리전?’

한때 온 우주의 모든 문명과 싸우던, 우주 연맹 [연합]의 주적이기까지 했던 리전은 중립 세력이 된 지금도 여전히 무서운 존재들이었다.

우주의 문명들이 그 편리한 AI 기술에 스스로 제약을 걸도록 강제할 정도니 더 말해 무엇하겠는가?

그런데 아무리 돈이 많아도 그렇지 일개 회사가 리전과 기술 제휴라니. 아니 그보다 리벤지에 리전과 제휴할 만한 기술이 뭐가 있단 말인가?

스슥. 스슥.

차르륵!

연회장에 급격한 변화가 일어난다. 사람들이 앉아 있던 의자와 테이블이 저절로 움직여 흩어져 있던 사람들을 재배치하기 시작한 것이다.

성재가 중얼거렸다.

"아, 길드 회의 시작했네요."

"길드 회의?"

"네. 저기 저 아저씨 보이죠? 하늘 제약의 김영찬 대표님이세요. 길드 마스터시고. 저기 저 아저씨는 성민 엔터테이먼트의 유성민 대표님…… 패스트 쓰리 학파의 강원님…… 모두 설국열차 길드원들이에요."

"현실에서도 친한 모양이네요."

"현실에서 친한 모양이네요가 아니라 사업적으로도 긴밀히 엮여 있죠. 완전히 믿을 수 있는 사람이 아니면 어떻게 같은 길드에 있겠어요?"

일반적인 온라인 게임의 길드와는 전혀 다른 사고방식에 어이없어 하고 있는 동안에도 권형준 부장은 말을 이어 나갔다.

테라급 전함을 메인으로 거대한 데이터 센터를 만들었

다든가, 30여 종의 궁극 마법을 설치했다든가, 11만 명의 인력을 충원했다든가 하는 이야기.

나는 그 말을 들으면서도 이게 뭘 뜻하는지 알 수 없다.

'뭔, 소리지? 사업을 더 크게 키운다는 건가?'

의아해하는 나와 다르게 사람들은 그것이 뭘 뜻하는지 짐작하는 모양이다. 지금껏 침묵을 지키며 점잔을 빼던 사람들이 크게 술렁이고 있는 것.

"자, 나머지 이야기까지 제가 해서는 무게감이 살지 않겠지요. 소개합니다. 네메시스의 대표. 배사랑 님이십니다."

꾸벅 고개를 숙이며 물러서는 권형준 부장의 앞으로 아침에 보았던 배사랑이 모습을 드러낸다.

"배사랑 대표님! 이거 설마, 진짜 그거 맞습니까?"

"아니, 포기한 거 아니었어요?"

"배사랑 님 너무 아름다우십니다!"

"우우! 염마왕의 활화산 성 내놔라! 내놔~! 내 신화 클래스 잠겼다!"

"권 부장. 저기 저 패배자는 음소거 시켜 놔. 시끄러우니까."

사람들의 열광에도 사랑은 여유 넘치게 웃으며 손을 흔들었다. 이곳에 있는 이들이 죄다 중장년층이라는 걸 생각해 보면 건방지기까지 한 태도.

그러나 나는 그녀가 그럴 만한 자격이 있다는 걸 알고 있다.

'저렇게 젊어 보이지만…… 그녀의 나이는 일흔이다. 어쩌면 여기에서 최연장자일지도 모르지.'

물론 아무리 연장자라도 여기 모인 이들이 고객이라는 걸 생각하면 좀 지나치지만…… 그녀의 발갛게 상기된 얼굴은 그녀가 얼마나 흥분해 있는지를 보여 준다.

여기 모인 사람들도 그걸 느끼고 있는 것 같았다.

"대표님! 설마 진짜…… 세컨드 라이프 프로젝트(Second Life Project)를 진행하는 겁니까? 주주 총회에서는 안 한다면서요!"

"안 한다고 제가 언제 말했나요? 안 했다고 했지."

"아니 그런……."

"그럼 진짜입니까? 정말, 정말 리전을 불러서, 그걸 했습니까? 며, 몇 명의 리전과 연결되었습니까?"

"116개체."

"맙소사 100기가 넘는다니……."

신음하는 사람들.

그리고 그들 앞에서 배사랑은 마치 지휘자처럼 손을 휘저었다.

허공에 홀로그램이 뜨며 거대한 성의 모습이 떠오른다.

"모두 아시다시피 리벤지는 실제 크기보다 훨씬 크다는 설정이 잡혀 있지요. 성과 성 사이의 거리가 100킬로미터나 됩니다. 마찬가지로, 성들 역시 그냥 성이 아니라 요새 도시 규모지요."

"그 모든 게, 가상 현실을 위해서였다는 말입니까?"

"그렇습니다. 이제 리벤지는 그냥 하면 하고 말면 마는 그런 게임이 아니라 그 이상의 영역으로 넘어가는 것이지요!"

그녀의 웅변을 들으며 나는 멍하니 있었다.

나 혼자만 여기 있는 사람들과 동떨어져 있는 기분이다.

'아니 뭔 소리야? 가상 현실이 뭐 대단하다고 놀라고 있지? 접속기로 접속하면 가상 현실 아닌가?'

그러나 어쩐 일인지 다른 사람들은 그렇게 생각하지 않는 것 같다. 지들만 아는 거로 신난 덕후들이라고 보기에, 그들은 평범한 일반인이 아닌 기업의 대표나 뉴스에 나올 법한 거물들.

잠시 술렁이던 그들 중 하나가 마음을 추스른 듯 차분한 태도로 손을 든다.

"그렇다면, 그렇다면…… 리벤지의 심도(深度)는 몇 급으로 진행되는 겁니까?"

양복을 입은 중년 사내의 말. 사랑이 답한다.

"1급."

"와, 대단…… 뭐? 1급?"

"아, 아니! 아무리 리전이 백이 넘어도 그렇지 심도가 1

급이라고? 그럼 완성자 이상이잖아!?"

"맙소사!"

여기저기에서 비명이 터져 나온다. 그뿐이 아니라 그들 중 몇은 황급히 어디론가 뛰어나가고 그러지 않은 이들도 황급히 통화를 시작한다.

"아니, 뭣들 하는 것…… 아니 잠깐."

나는 여전히 상황을 이해하지 못했다. 심도라는 게 뭔지도 모르니 그게 1급이라는 게 뭘 뜻하는지 어찌 알겠는가?

그러나, 사람들의 반응을 보니 문득 불길한 느낌이 들었다.

"잠깐, 잠깐만…… 체다."

나는 황급히 내려갔던 체다를 다시 테이블 위로 올려 네메시스를 검색했다.

네메시스 - 2,131,000원(+612,000원)↑

"아, 잠깐……."

네메시스 - 2,251,000원(+732,000원)↑

"자, 잠깐……."

네메시스 - 2,601,000원(+1,082,000원)↑

"잠깐, 잠깐! 멈춰!"

기겁해 내지른 소리는 다른 흥분한 사람들의 목소리에 묻혀 사라진다.

그리고 당연하게도.

상승세는 멈추지 않는다.

chapter3.

대륙의 구원자

chapter3.
대륙의 구원자

전역 전날, 난데없이 아르데니아로 끌려 간 나는 평민을 죽이고 있는 귀족의 모습에 순간 가상 현실에 들어온 것은 아닌가 고민했었다. 군 생활관에서 잠이 들었는데 뜬금없이 중세 마을에 서 있었으니 어쩌면 당연한 고민.

그러나 나는 빠르게 그곳이 현실이라는 사실을 인식했다.

'가상 현실의 한계 때문이지.'

평범한 인간은 시각과 청각만 덮어씌워도 가상 현실을 경험할 수 있다. 인간이 세상을 인식하는 가장 큰 감각이 시각과 청각이기 때문이다.

그리고 거기에서 더 나아가 촉각, 후각, 미각까지 덮어 씌우게 되면 그것이 바로 완벽한 가상 현실.

모든 감각이 덮어 씌워지고, 그 결과가 현실과 다를 바가 없다면 사용자의 몰입은 완전해진다. 현실과 가상을 구분할 수 없는 지경에 이르는 것이다.

이를 실현하기 위해서는 꽤 높은 기술력이 필요하지만 이미 3문명에 들어선 34지구에서는 중소기업도 종종 구현하는 수준.

그러나 대상이 영능력자인 경우 문제가 생긴다. 설령 오감을 덮어씌운다 해도, 그들에겐 한 가지 감각이 남아 있기 때문이다.

바로 육감(六感).

흔히 말하는 영적인 감각이다.

"흠. 그러니까…… 이 1급 심도라는 건 완성자에 도달한 능력자조차도 현실과 가상을 구분할 수 없는 가상 현실이라 이건가?"

나는 인터넷을 검색해 1급 심도가 의미하는 바를 알아냈다.

즉, 이미 완벽한 가상 현실이 존재함에도 34지구의 사람들은 그것을 체감하지 못하며 살았는데 리벤지가 리전과 제휴해 얻어 낸 기술로 인해 상황이 달라졌다는 것.

당연하지만 그 사실이 발표되자 모든 커뮤니티가 불타오르는 상태였다.

↳소방관 : 이게 진짜면 현실하고 구분 불가능한 가상 현실이 된다는 뜻인데? npc가 진짜 사람처럼 보인다는 거

잖아?

↳현문개방 : 아니 아무리 리벤지가 돈을 많이 번다고 해도 그렇지 이런 기술을 게임 회사가 들고 나오다니…… 진실 사제들한테 검증은 받은 걸까요?

↳성기사는왕 : 저기, 이런 말하면 좀 그렇지만…… 이 기술이 정말이면…… 가상세계에서 그걸 할 수 있다는 말 아니냐?

↳현문개방 : 그거라뇨?

↳성기사는왕 : 그거 있잖아 남녀가 할 수 있는 좋은 거. 이게 참 좋은데 내 입으로 말할 수가 없네…….

↳용자왕 : 이 멍청이들아 떠오르는 게 그런 거밖에 없냐? 심도가 1급이면 가상세계에서 영능도 수련할 수가 있어! 완성자 수가 지금의 수배도 넘게 늘어날걸!

네메시스가 리전의 힘을 빌려 적용한 기술은 지구 전체에 충격을 안겨 줄 만한 것이었다. 단순히 게임판의 문제가 아니게 된 것!

그리고.

네메시스 – 4,557,000원(+1,656,000원)↑

그것은 그대로 주가에 반영되었다.

“아니, 이게 말이 돼? 코딱지만 한 회사도 아니고 네메시스 같은 거대 기업의 주식이 3배가 된다고?"
아르데니아의 시스템에 간섭하기 위해 주식을 사야 할 나로서는 미치고 팔짝 뛸 노릇이다.

네메시스 - 4,871,000원(+1,970,000원)↑

"아, 그만……."
정의신과 진실신의 권역에 속하는 34지구는 투기나 시장 조작을 할 수 없는 장소였기에 대우주의 다른 문명들보다 금융 규제가 느슨히 설정되어 있다.
가능성만 있다면, 그만한 포텐을 증명하기만 한다면 주식은 끝도 없이 오를 수 있는 것! 그것이 누군가 조작한 사기일 가능성이 없기 때문이다.
"지금이라도 사야 하나?"
사실 이런 고민을 하는 것도 웃기다.
지금 내 여유 자금으로 살 수 있는 주식은 고작해 봐야 1주. 많아야 2주에 불과하기 때문이다.
물론 대출이 있긴 하지만…… 대출받은 돈으로 주식을 하는 건 규제 대상이다. 필연적으로 사금융(私金融)에 손을 벌려야 하는데 그건 여러모로 위험한 일이다.
"지금은 그냥 놔둬야겠다. 기대감에 과도하게 올랐으니 기다리다 보면 다시 내려가겠지."
주식을 사는 목적이 돈을 벌기 위해서가 아니니 굳이

뜨거울 때 머리를 들이밀 필요가 없다.

"돈이나 더 벌어야지……."

낮에는 황제의 영광을 노래하는 기사, 밤에는 암흑가의 보스로 활동했던 제국 기사의 일대기를 그려 낸 [두 개의 이름]이 12권으로 완결 났다.

늘 그랬듯 반응이 안 좋았지만 나름의 코어팬도 생겨서 평균 구매 수가 40을 넘겼다.

그리고 그 결과.

[안녕하세요. 작가님!^^ 도서출판 초록용용이입니다.]
이북 정산서를 보내드리오니, 확인 부탁드립니다.
아침저녁 일교차 큰 날씨에 건강 유의하시고,
앞으로도 좋은 글 부탁드립니다!

입금 내역을 확인한다.

[킬리언스 작가님 11월 정산서]

다른 걸 볼 필요는 없다.
맨 아래 있는 정산액만 확인한다.

정산액 : 1,786,000원

"오."

엄청난 금액은 아니었다. 아직도 알바가 훨씬 나은 상황.

그러나 고정된 알바비와 다르게 인세는 점점 늘어나고 있다. 마치 눈덩이를 굴리듯 점점 가속하는 게 느껴진다.

"다음 작품을 정해야겠다. 로그인."

나는 집무실로 이동했다. 지구에서는 곧바로 다음 알바를 가야 할 상황이라서 생각을 정리할 시간이 없다.

"어디 보자……."

나는 잠시 서류들을 밀어 놓고 작품 목록을 살펴보았다. 아직 대여섯 개가 넘는 작품들이 남아 있었지만 내가 괜히 후순위로 미룬 게 아니다.

내가 [복고풍]을 콘셉트로 밀고 있다지만…… 아무리 그래도 황제의 영광을 노래하거나 평민은 짐승과 다를 바 없으니 귀족의 지배가 합당하다는 주제를 담고 있는 소설을 연재하기는 어려웠다.

지금 욕이 많은 것과 전혀 다른 차원의 문제가 될 것이며 사상이 이상한 작가 취급을 당할 게 분명했다.

"아, 결국…… 할 만한 건 이것뿐인가."

결국 난 [타오르는 불꽃]을 선택했다.

성인 소설이었다.

"오! 그 양복 뭐야 새로 뽑은 거야? 멋진데?"

"형님 그 양복…… 여러모로 어울리네요. 검은 선글라스까지 끼면 어디 가서 어깨빵은 안 당할 듯……."

"교대 왔따! 헉! 이거 되게 비싼 메이커 아니에요? 멋지다!"

일상을 이어 나간다. 공장에서 퇴근해 클럽으로 출근하고 다시 퇴근해 편의점에 출근했다. 주말에는 스턴트를 구하거나 없으면 집에서 소설을 옮겨 썼다.

가끔 쓰기가 귀찮아져서 수하들에게 귀환 주문서 뒤에 작품을 써 현실에 소환해 보았다.

결과는 실패.

안타깝게도 귀환 주문서 그 자체만 소환되었다. [아이템]이라는 판정이 생각보다 빡빡했다.

"한씨는 성실해서 참 좋단 말이야. 혹시 솔로야? 내가 참한 아가씨 하나 소개시켜 줄까?"

"형님 오셨어요? 요새 되게 피곤해 보이시는데 잠은 잘 주무시는 거 맞아요?"

"으아, 형 미안해요! 이민자들 시위 때문에 길이 막혀서 늦었어요."

하루가, 이틀이, 사흘 나흘이 지난다.

"이야기 들었어? 환웅 컴퍼니가 네메시스라는 게임 회사랑 제휴를 맺었다던데. 기가스 데이터 중 일부를 넘긴다던데 이게 뭔 일이래."

"아, 형님. 우울합니다. 투자에 실패했어요……."

"와, 형! 저 강철거인 마탑에 합격했어요!"

일주일, 이주일, 한 달 두 달이 지난다.

시간이 흐르는 만큼 이런저런 일들이 있었다. 나는 웃으며 사양하거나, 혹은 어울리거나, 위로하거나 또 축하하며 일했다.

세상에는 많은 일이 있었지만 나의 매일은 반복된다. 마치 쳇바퀴를 돌리는 것만 같은 일상.

그러나 그만한 보람은 있었다.

자유저축 예탁금(G-뱅크 1173-5511)

40,443,112원.

“좋아, 점점 빨라진다.”

고작 2달 만에 4천만 원을 모았다. 이는 엔간한 대기업에 다니는 이들보다도 더 큰 수익.

그러나 아직 갈 길이 멀다.

‘적어도 1억은 모은 다음 전쟁을 시작한다.’

더 이상 미룰 틈이 없다. 발칸 오크족은 한계에 이르렀고 얼음 여왕의 군세는 점점 영역을 넓혀 가고 있었으니까.

기회가 되는 순간 단박에 오크 요새를 점령하고 화점까지 쳐들어가야 한다.

그리고 화점을 먹게 되면.

‘만들 수 있다. 신화급 펫과…… 신화급 수호령.’

카심과 각성 썬더버드를 계속 복구하며 아르데니아로

보내고 있다. 당장은 신화급 클래스를 노릴 수 없다는 게 아쉽지만 신화급 펫과 수호령만 있어도 내 전력은 차원이 달라지기 때문이다.

아르데니아에서나 강자지 지구에서는 전투 경찰 하나 감당하기 힘든 지금과 달리 명백하게 선을 넘을 힘을 가지게 되겠지.

농담이 아니라 시험을 통과해 어르신들이나 될 수 있다는 [우주 용병]이 되는 것조차 가능할지 모른다.

다시 시간이 흐른다. 어느새 3월.

성인 소설, 타오르는 불꽃이 완결되었다. 아르데니아의 몇 나라에서는 금서로 지정될 정도로 파격적인 작품이었지만 자극적인 문화에 익숙한 지구의 평가는 달랐다.

↳ㄲㄲ2020 : 이게 뭘 보고 성인소설이냐? 아니, 뭔 행위만 들어가면 비유에 상징에…… 그냥 15세로 내려라. 무슨 키스신도 하…… 전작 [흑기사와 장미공주]를 로맨스라고 할 때 느낌이 왔지.

↳천마는우주우주해 : 이번 것도 정말 잘 보았습니다! 섬세한 심리 묘사가 정말 보는 내내 감탄을 자아냈습니다. 근데 이 좋은 작품을 굳이 19금으로 올리실 필요가 있으셨을지는 살짝 의문입니다. 더 많은 독자분들이 보실 수 있도록 전체이용가로 내리시면 더 좋을 거 같습니다.

↳보들 : 곁가지를 좀 더 쳐 주세요! 그럼 훨씬 몰입 잘

될 거 같습니다!

↳잠만자요 : 작가님! 후원 갑니다! 드래곤 스톤 받으시고 힘내셔서 좀 더 옷자락을 들쳐 주세요!

리플이 많이 줄었지만, 구매 수는 다른 이야기를 했다.

드디어 평균 구매 수가 100을 넘은 것이다!

"오, 이거 생각보다 반응이 좋은데?"

웃음이 절로 나온다. 타오르는 불꽃 덕에 월 수익이 더욱 늘어났다. 인세의 스노우볼링이 점점 커지고 있는 상황.

물론 안 좋은 소식도 있다.

네메시스 – 10,122,000원(+123,000원)↑

"아니 무슨 한 주에 천만 원……."

손해 본 것 하나 없는데 속이 탄다. 아니 사실 손해 하나 없는 정도가 아니라 돈을 크게 벌었다. 나한테는 배사랑 대표에게 받은 10주의 주식이 있지 않던가? 총 10주에 1500만 원이었던 주식의 가치가 1억을 넘어 버렸으니 오히려 크게 이득을 본 상황!

그러나 기쁨은 하나도 없고 짜증만 난다. 사채를 썼어야 했다는 등신 같은 생각이 들 정도다.

"이제라도 살까?"

그러나 막상 그렇게 생각하니 꺼려진다. 폭풍 같던 상승세도 어느 정도 꺼져서 네메시스의 주식은 오르락 내리락을 반복하는 상황이었기 때문이다.

"하, 속만 탄다, 보지 말자."

창을 꺼 버리고 웹소설 플랫폼. [파이브 드래곤]에 접속한다. 다음 작품을 위한 게시판을 할당받기 위함이었다.

그런데 이미 완결 처리한 지 오래인 샤인 라이트 영웅전기 게시판에서 폭죽이 터지는 이펙트가 일어난다.

"……뭔데?"

의아해 하면서도 그것을 클릭한다.

그리고 그러자.

[와우! M-4님께서 드래곤 스톤 3백만 개를 후원하셨습니다!]

"……뭐? 3백만?"

잠깐 머리가 굳는다. 왜냐하면, 드래곤 스톤은 무슨 아이템 같은 게 아니라 환금이 가능한 재화였기 때문이다.

소설 한 편 보는 데 드래곤 스톤이 1개 소모된다.

그 가치는 100원. 즉, 3백만 드래곤 스톤이라는 건.

"3억…… 이라고? 3억을 후원했다고……!?"

자리에서 벌떡 일어난다. 너무나 난데없는 상황에 머리

가 빙빙 돈다.

새로 뜬 창을 누르자 후원자가 보낸 메시지가 펼쳐진다.

[M-4 : **잘 먹고 갑니다.**]

"이게 다라고? 아니 그보다 먹고 간다니 뭘?"

어이없어하면서도 즉시 비밀 번호를 입력. 정산 요청을 누른다. 은행 잔고가 280,443,112원이 되었다.

6천만 원은 수수료였다.

"미친 무슨 수수료가……."

두 달 동안 잠도 안 자고 미친 듯 일해서 번 돈보다 수수료로 뜯긴 돈이 더 많다는 사실에 허탈감이 밀려온다.

그러나 그것은 바꿔 말해 그만큼 후원액이 크다는 방증.

내게 직접 들어온 돈만 무려 2억 4천만 원이었다. 펄쩍 뛰도록 기쁜 동시에 이해가 안 가는 일이다.

"아니, 근데 이게 말이 되나? 연예인도 아니고 고작 소설에 3억을 후원하다니…… 그것도 구매 수가 막 세 자릿수에 도달한 신인한테?"

생각지도 못한 일이다. 억 단위의 돈은 부자들에게도 절대 가볍지 않은 액수이기 때문이다.

'영문을 모르겠지만 당장 계획을 시작해도 되겠군.'

나는 주식 프로그램을 설치해 네메시스의 주식 10개를

구매하고 남은 돈은 몽땅 과금했다.

클래스 소환 카드, 펫 소환 카드를 구매하고 다이아 패키지 역시 왕창 구매한다. 패키지가 떨어진 이후에 구매한 다이아로는 거래소를 뒤져 수십 개의 장비를 샀다.

그리고.

"로그인."

아르데니아에서 그 모든 것을 꺼냈다.

컬렉션 완성!

거인의 힘(파워 건틀렛+7,그레이트 실드+7,하드 스틸 아머+9) 근력+3

소드 마스터의 유산(카타나+7, 미스릴 블레이드, 스피드 부츠) 근력+1

혈왕의 증거(혈마검+9, 혈마갑+7, 혈옥+7) 근력+2 생명력+1

……외 23종.

컬렉션의 개념은 간단하다. 클래스, 수호령, 펫 등을 얻었을 때 그것을 수집품으로 등록해서 스텟을 획득하는 시스템. 실제로 지금 내 스텟 상당 부분이 그것들로 상승하여 있는 상태다.

'하지만 장비 컬렉션은 제대로 시작도 안 했다.'

클래스, 수호령, 펫 컬렉션을 다 합쳐도 장비 컬렉션의

반의반의 반도 안 된다. 장비 컬렉션에 투자하면 훨씬 많은 스텟을 얻을 수 있다는 것!

그러나 나라고 그걸 몰랐겠는가?

"돈지랄이라 안 하고 싶었지만……."

클래스, 펫, 수호령은 그저 얻기만 해도 컬렉션에 등록된다. [과금]만 하다 보면 자동으로 채워지는 방식이었다.

그러나 장비 컬렉션은 다르다.

[장비를 소모]해서, 그러니까 멀쩡한 장비들을 갈아 없애 버리는 식!

심지어 좀 쓸 만한 장비 컬렉션에는 빠짐없이 9강 장비가 들어간다. 일반급 장비도 9강이 되면 아티펙트급 특수 효과를 가지게 되는데 그걸 태워야 하니 지금까지는 엄두를 못 낼 수밖에.

그러나 지금은 아니다. 정체 모를 후원자님의 지원에는 그만한 힘이 있었다.

"후…… 채울 수 있는 컬렉션은 다 채웠다."

노강 아이템으로 해결할 수 있는 모든 컬렉션을 채워 넣었다. 더해 저강으로 해결할 수 있는 컬렉션도 근력과 생명력이 끼어 있으면 다 채웠다. 심지어 +9강이 소모되는 컬렉션도 2개나 채운 상황!

그뿐이 아니다.

슥.

검을 뽑아 든다.

[괴력검(희귀)+9].

발할라(영웅)+6를 인벤토리에 보관시키고 새로 구한 주장비다.

분명 발할라는 좋은 무기지만 명중이 달린 만큼 전체적인 성능에서 손해를 보았다.

리벤지에서야 명중이 목숨까지 걸 정도로 중요한 스텟이지만 아르데니아에서는 아니기 때문이다.

그리고 무엇보다, 괴력검이 9강을 찍으면 활성화 되는 특수 효과가 희귀급 특유의 부족한 성능을 씹어 먹을 정도로 나와 잘 맞는다.

[막을 수 없는 괴력(상급)(패시브)]

일반 공격 시 최종 근력 수치에 비례해 추가 데미지가 들어간다.

팟!

이어서 나머지 장비도 장착한다. 투구를 시작으로 전신이 갑주로 뒤덮인다.

[어스 드레이크 헬멧(영웅)+4]. [어스 드레이크 흉갑

(영웅)+4], [어스 드레이크 하의(영웅)+4], [어스 드레이크 건틀렛(영웅)+4], [어스 드레이크 부츠(영웅)+4].

그대로 세트 효과가 발동한다.

[어스 드레이크의 괴력(영웅)]
순수 근력의 30%가 버프로 적용.

세트 효과를 노리고 입은 갑주라서 9강은 하지 않았다. 돈이 많이 들어왔어도 무한한 건 아니었으니까.

[적도깨비의 귀걸이(희귀)+9], [청도깨비의 귀걸이(희귀)+9], [도깨비왕의 목걸이(영웅)+6], [냉기 수호의 반지(희귀)+9], [오우거의 반지(희귀)+9].

가격 때문에 항상 구경만 하던 액세서리들.

[용맹의 팔찌(영웅)+9], [거인의 팔찌(희귀)+9], [투쟁의 벨트(영웅)+9].

마침내 9강화에 성공한 캐시 액세서리까지.
"와…… 정말 끝내주는군. 이게 자본주의의 맛인가……."
가만히 서 있을 뿐인데도 온몸이 끓어오르는 것 같다. 전신을 휘감는 괴력은 건물이라도 집어 던질 수 있을 정도.

심지어 클라이막스는 따로 있다.

―파직! 파직! 파지직!

내 등 뒤로 오오라가 피어오른다. 단지 내 뒤에 존재하는 것만으로 내게 살벌한 스펙 상승과 강력한 버프를 부여하는 존재.

천둥산의 지배자(수호령).

각성 썬더버드(전설). 30레벨.

나는 아르데니아에서 강화 실패로 장비를 날린 이들에게서 회수한 [혼의 결정]을 모조리 쏟아부어 수호령을 30레벨까지 강화했다.

그 결과는 이러하다.

[각성 썬더버드(전설)]

천둥산의 지배자. 천지간의 전뇌가 집약되어 탄생하였다.

패배하여 소멸의 위기를 겪었던 썬더버드는 셀 수 없는 벼락을 집어삼키며 완전히 새로운 존재로 재탄생했다.

5레벨 - 생명력+35

10레벨 - 마나력+35. 뇌(雷) 속성력+100.

15레벨 - 근력+35.

20레벨 - 체력+35. 민첩+35. 뇌(雷) 속성력+100

25레벨 - 항마력+35.

30레벨 - 마나+35. 마나 회복력+35. 회복력+35. 굉뢰(轟雷).

솔직히 말하면 특수 효과는 별로 맘에 안 든다. 수 속성도 아니고 뇌 속성력은 지금 상황에 별로 쓸모가 없으니까.

그러나 이 미쳐 버린 깡스텟.

어떤 특정 스텟이 아니라 이 스텟 저 스텟 다 찌르고 다니는 상황임에도 불만이 전혀 없을 정도의 상승이다. 전설 중에서도 높은 수준이라더니, 영웅급 수호령과는 비교가 안 될 정도다.

그리고 그 모든 수치가 더해진 결과는 이러하다.

아이디 : 한재연

클래스 : 검왕(영웅)

칭호 : 신규 모험가(일반)

레벨 : 43

근력 : 190(+361) 체력 : 75(+155)

생명력 : 90(+224) 민첩 : 52(+215)

마나 : 1(+110) 마나력 : 1(+60) 항마력 : 1(+50)

회복력 : 100(+50) 마나 회복력 : 21(+46) 운 : 10

자유 스텟 : 0

상태 : 정상

"……좋군."

근력이 550포인트를 넘어섰다. 고수의 간합이 풀 중첩되면 650도 넘는다.

이게 얼마나 미친 수준이냐 묻는다면, 지금의 난 기가스와 힘겨루기도 할 수 있을 정도라고 답하겠다.

'그리고 대부분의 경우…… 내가 이긴다.'

인간이 아니라 기계를 넘어선 힘.

거기에 더해 나머지 스텟들도 무시할 정도는 아니라는 점이 살벌하다. 이제 완성자급 적도 육체 능력만으로 압살하는 게 가능하지 않을까 하는 생각이 들 정도다.

'가능하다. 아니…… 이 정도면 여유 있다.'

그렇다면 더 망설일 이유가 없다.

"출진이다."

바야흐로 전쟁의 계절이었다.

* * *

"당장 비켜라! 감히 내가 누구인 줄 알고!"

영주성으로 향하는 길목에서 한 무리의 사람들이 소란을 피우고 있다. 전신 갑주를 걸친 기사들과 고급스러운 옷을 걸친 귀족들.

어느 영지에 가도 영주가 버선발로 마중 올 구성이었지만 그들의 앞을 막고 있는 병사들은 시큰둥한 표정이다.

"누군지 압니다. 블루 나이트 가문의 둘째이신 달튼 기사님 아니십니까? 귀에 딱지가 앉겠네. 그만 좀 하십셔."

"너! 네 이년! 계집이, 병사 따위가 감히 날 모욕해!?"

차앙!

마침내 검이 뽑혀 나온다. 물론 좋은 선택이 아니었고, 달튼은 즉시 후회했다.

'아차! 이 빌어먹을 성질머리가……!'

내키는 대로 살아온 그였지만 지금은 상황도, 장소도 좋지 않았다.

스타팅은 크롬 왕국의 영향력에서 완전히 벗어난 곳이었고, 며칠간 스타팅의 숙소에 머물며 목격한 군세는 이곳에 오기 전까지는 감히 상상조차 못하던 수준의 것.

여기서 저 병사를 베기라도 한다면 그들은 적진 한가운데에 떨어진 것이나 다름없는 지경에 이르고 말 것이다.

'하지만 이대로 다시 검을 넣을 수도 없다.'

성질을 못 참고 검을 뽑아 들었다가 무안해하며 다시 넣는다? 기사의 명예가 땅에 떨어질 일이다.

결국, 방법은 단 하나다.

"당장 무례를 사과하라! 무릎을 꿇고 사죄한다면 내 특별히 용서하겠다!"

병사가 그에게 굴복해 용서를 바란다면 체면을 상하지 않고 검을 넣을 수 있다. 이 경우에는 오히려 자비로운 모습을 보이는 셈이 되겠지.

그러나 병사들을 대표해 그를 상대하던 20대의 여인은 그런 그의 기대대로 움직이지 않았다. 겁먹어 용서를 비는 대신, 흉악하게 웃어 보인다.

"그래…… 나도 기사 나리랑 한번 검을 맞대 보고 싶었어. 아무리 봐도 이 등신들이 스틸스톤님과 동급으로는 안 보인단 말이지."

"뭐, 뭐? 이, 이 계집이…… 지금 뭐라고?"

달튼은 물론이고 이 상황을 지켜보던 크롬 왕국의 사신단도, 멀찍이 서서 돌아가지도 어쩌지도 못하고 상황만 살피고 있던 나머지 세 나라의 사신단도 충격에 빠졌다.

달튼이 실수했다는 것은 그들도 알고 있었다.

하나 문제가 생기는 것은 건방진 병사들을 징치(懲治)한 다음이지 설마 병사 나부랭이가, 그것도 계집 따위가 이렇게 나오리라곤 상상하지 못한 것이다.

심지어 뒤에 있던 병사들의 반응도 가관이다.

"오! 소위님 보여 주시나요!?"

"요변에 35레벨 찍으셨다던데!"

"멋지다! 예쁘다! 아름답다! 우리 소위님!"

환호하는 그들의 모습에 달튼의 얼굴이 일그러진다.

'뭐지? 스타팅의 병사 놈들은 다 미쳐 있는 건가?'

그의 상식으로는 도저히 있을 수 없는 일이다. 감히 계집이, 병사 따위가 기사 앞에 나서다니?

기사는 살육의 스페셜리스트.

이렇게 정면으로 맞닥뜨리면 일반 병사 따위는 세 자릿수가 덤벼도 살해당할 텐데 뭘 믿고 건방을 떤단 말인가?

그러나 그녀가 자신의 검을 뽑는 순간.

우우웅!

선명한 검명(劍鳴)과 함께 분위기가 급변한다.

"이게, 무슨…… 오러 능력자? 기사인가?"

"아직 예비일 뿐이지. 언젠가 기사가 되어서 스틸스톤님 옆에 설 거지만."

훤칠한 키에 까무잡잡한 피부의 여인은 자신만만하게 웃으며 달튼을 향해 검을 겨눴다.

"그러니 너, 나 쿠거에게 보여라. 기사가 어떤……."

"그만."

차분한 목소리에 끓어오르던 분위기가 단숨에 가라앉는다. 모두의 시선이 새로이 등장한 사내에게 꽂힌다.

은색 머리칼에 마치 모델처럼 훤칠한 키.

전신 갑주는커녕 흉갑조차 없이 검 한 자루만 차고 있어도 기사라는 걸 의심받지 않을 정도로 날카로운 기세.

한 길드에 단둘밖에 없는 정식 기사이자 영웅 클래스 센티넬(Sentinel)의 주인인 헌드레드 실버소드였다.

"충!"

지금껏 마치 용병처럼 자유분방해 보이던 병사들이 완벽한 검례로 그를 맞이한다.

헌드레드는 고개를 끄덕여 거기에 답하고 크롬 왕국의 사신단을, 정확히는 그 가운데에서 딱딱한 표정으로 자신을 응시하고 있는 노인을 바라보았다.

"직접 여기까지 오신 행동력은 칭찬할 만하지만 정작 일은 제대로 안 되던 모양이더군요. 하기야 항상 대접받던 당신이 새로운 흐름을 쉽게 받아들일 수는 없었겠지만."

"너! 헌드레드, 네 이놈! 연락도 끊고 소집에도 응하지 않는다니! 정녕 [전하]에 대한 충심을 잃은 것이냐!"

일라인 실버소드 백작의 호통에 헌드레드의 표정이 굳는다. 남들이 본다면 기사의 명예에 대한 지적 때문에 수치심을 느끼는 듯한 모양새.

그러나 그는 어느 순간 검을 잡아들고.

철컥.

그대로 뽑았다.

-크아앙!

용의 포효가 울리자 주변 모든 이들이 움찔한다.

"세, 세상에 벌써 이 정도의 천룡음(天龍音)이라고? 나는 겨우 검이 우는 정도인데."

"역시 헌드레드 님……."

스타팅의 두 기사가 기사 후보들에게 가르치고 있는 천룡검공은 발검 시 검명이 울리는 것으로 유명한 검공이다.

그리고 지금 그 검명이 마침내 용의 울음소리를 내기 시작했다는 것은 헌드레드의 천룡검공이 5성을 넘어섰다는 뜻.

다만 그들은 몰랐다.

천룡음은 단지 멋을 위한 기술이 아니며, 지금 이 순간 헌드레드가 기나긴 속박(束縛)에서 벗어났다는 사실을.

"하하. 이 빌어먹을 저주…… 이렇게 극복할 수 있으리라고는 생각 못했는데."

"너, 네놈. 네가 지금 충성의 맹세를……."

헌드레드는 믿을 수 없다는 표정으로 볼을 파르르 떠는 일라인 백작을 바라보았다.

세상 그 누구보다 더 커 보이던 사내.

평생 그의 인정을 갈망했고 그렇기에 그의 명령이라면 어떤 일이든 했다. 변방으로 올라가 야만인 영주를 모시며 그를 감시하라는 명을 받았을 때도 불만 하나 없었다.

그는 거인(巨人)이었으니까.

그러나 오랜만에 재회한 지금.

"왜 이렇게 작아지셨습니까?"

"……너."

일라인 백작의 안색이 하얗게 질렸으나 그는 아랑곳하지 않고 사신단들을 둘러보았다.

"성주님께서 국가별로 대사관을 한 채씩 마련해 주신다고 하셨습니다. 외교관과 마법사를 머무르게 한다면 소통의 창구가 될 수 있겠지요. 나머지 인원들은 각국으로 돌아가시면 됩니다."

차분한 목소리에 사신단이 고개를 끄덕였다.

이대로 추방당할 줄 알았는데 이 정도면 준수한 조건.

그러나 그렇지 않은 이들도 있다.

"헤이즈 님은 어떻게 된 겁니까? 성주를 만난다고 가서 아직도 돌아오지 않았습니다! 아무리 협정을 맺지 않은 상황이라지만 크롬 제일의 기사를 함부로 억류한다는 건."

"억류 안 당했어."

"……?"

달튼은 난데없이 끼어든 목소리에 고개를 돌렸다. 그러고 보니 헌드레드 뒤에 한 여인이 서 있었다.

'어, 이건. 꽤…….'

아름다운 여인이다. 키가 과하게 크고 어깨가 쓸데없이 넓은 감이 없지 않아 있었지만 타오르는 듯한 적발에 백옥같이 하얀 피부, 물기 한 번 묻혀 본 적 없는 듯 뽀얀 섬섬옥수는 그야말로 절세미녀라 할 만한 수준.

급한 와중에도 달튼은 목소리를 가다듬고 말했다.

"흠흠. 레이디. 죄송하지만 저희는 중요한 이야기를……."

"야, 머저리 달튼아. 나 못 알아보겠냐?"

"……?"

달튼은 가만히 그녀의 얼굴을 들여다보았다.

그러고 보니 어딘가 낯이 익은 얼굴이다.

시원시원한 이목구비, 비취색 눈동자. 그리고 자신만만한 미소까지. 그러나 그렇게 익숙함에도 떠오르는 이름이 없다.

'누구지? 이런 미녀를 내가 기억하지 못할 리 없는데?'

그러나 시선이 천천히 내려가자 모습을 드러낸 '그것'이 그의 뇌리를 자극한다.

장대하기까지 한 사이즈. 농담이 아니라 거의 머리에 맞먹는 크기의 [그것]을 보자 문득 떠오르는 이름이 있었다.

"헤이즈…… 기사단장님?"

"……."

자신만만하게 웃고 있던 헤이즈의 얼굴이 악귀처럼 일그러진다. 왕실기사단 모두가 두려워하는 [스타라이트의 미친 장미]로서의 일면!

"이 미친 새끼가……."

벼락 같은 발차기가 갑주 위를 걷어찬다.

"그걸 가슴을 보고 떠올려!?"

쾅!

벼락같은 발차기에 달튼이 붕 허공을 날았다가 바닥을 뒹군다. 보는 것만으로도 절로 헛기침이 나오는 무지막지한 위력이었으나, 달튼은 불쾌해하지도, 자리에서 벌떡 일어나지도 못한 채 멍한 표정으로 그녀의 모습을 바라보았다.

"단장님…… 그 모습은 대체……?"

헤이즈는 원래부터도 동안이다. 그녀는 평생 육체를 단련해 왔고, 동시에 노화가 늦다는 오러 능력자이기도 했으니까. 이미 마흔이 넘은 나이임에도 그녀를 사모하는 기사의 숫자가 두 손으로 셀 수 없을 정도인 건 괜한 일이 아니니까.

그러나 그렇다 하더라도.

이 정도는 결코 아니었다.

'어려졌다.'

믿을 수 없는 일이다. 신성제국의 성녀가 축복으로 비슷한 일을 할 수 있다고 알려졌지만, 그마저도 하루아침에 이루어지는 일은 절대 아니다.

"무슨…… 일이 있었던 거지?"

일라인 백작이 물었다. 그의 눈이 이글이글 타오르고 있다.

헤이즈가 답했다.

"한에게 새로운 오러 수련법을 배웠습니다. 그리

고…… 깨달음을 얻었지요.”

“하! 깨달음이라니. 지금 나랑 농담 따먹기를 하자는 건가? 그런 건.”

우우웅!

어느새 뽑아 든 헤이즈의 검에서 적색의 검광이 솟아오른다.

험악하게 얼굴을 일그러트렸던 일라인 백작이 멍해지고 그 모습을 지켜보고 있던 각국의 사절들도 기겁했다.

그러나 가장 놀란 사람은 헌드레드와 그 뒤의 병사들이었다.

“말도 안 돼! 고, 고작 3일 배우고 소드마스터라고!? 스, 스타팅에도 오직 성주님만이 도달한 경지인데!”

혼잣말에 가까운 쿠거의 중얼거림에 헤이즈가 싱글벙글 웃으며 답했다.

“나는 처음 배운 게 아니야. 혹시 못 들어 봤어? 젊었을 때 한과 2년 동안 온 대륙을 쏘다녔는데.”

친밀감 넘치는 호칭과 설명에 병사들이 술렁인다. 스타팅에 사는 이들에게 한재연의 위상은 가히 신과 동급. 땅에 내려온 신의 화신, 세계의 혼돈을 잠재울 구원자이다.

당연히 병사들은 헤이즈의 말에 큰 충격을 받을 수밖에 없었다.

“이, 이게 무슨 소리야. 저 여기사님이 설마 안주인 후보인 거야?”

"소드마스터라잖아!"

"헤이즈…… 헤이즈 스타라이트. 그래, 이야기를 들었던 것 같아. 성주님과 엮인 문제 때문에 귀족 사이에 말이 많았다고……."

"뭐? 그건 언제 일인데?"

수군거리는 병사들을 보며 헌드레드는 가만히 상황을 다시 확인했다.

'소드마스터라고? 이렇게 급작스럽게?'

믿기 힘든 일이다. 크롬 제일검, 결투기사(決鬪騎士)라 불리는 헤이즈는 크롬 제일의 검객이었지만 그걸 감안하더라도 아무리 그래도 소드마스터라니.

소드마스터가 어떤 존재인가?

전 대륙을 통틀어.

천 년 넘게 단 한 명도 없었다.

즉, 헤이즈 스타라이트가…… 크롬 제일검이 아니라 대륙 제일검일지도 모른다는 뜻이다. 명 제국이 자랑스러워하는 무림맹의 무사들조차 검기를 전설이라 치부하는 시대가 아니던가?

'유명한 검사임에도 아무 기세가 없어 이상하다고 생각했는데…… 설마 경지의 차이 때문이었다고? 우리 스타팅이 아니라 크롬 왕국에서 두 번째 소드마스터가 나오다니.'

당혹스러워하는 것은 그뿐이 아니다. 크롬왕국의 대표

라 할 수 있는 일라인 백작 역시 기뻐하기보다 그녀를 경계하고 있다.

"경지가 올랐기 때문에 젊어졌다는 건가?"

"다른 이유가 뭐가 있겠습니까? 한 녀석이 나이 먹지 않던 것도 같은 이유겠지요. 실력을 숨기고 있었다던가?"

"앞뒤가 안 맞는 소리다! 난 녀석을 몇 번이고 봤어! 상식적으로……."

"백작님."

피식 웃으며 헤이즈가 말했다.

"아직도 모르시겠습니까? 이미 세상은 당신의 알량한 상식을 벗어났습니다."

"……."

일라인 백작은 멍한 표정으로 자신을 바라보는 헤이즈의 눈을 바라보았다.

'이게 뭐지? 뭔가 달라졌다. 하지만 3일 만에?'

헤이즈는 귀족 중에서도 유난히 눈에 띄는 별종이었다. 귀족 영애로 태어나 집안의 반대를 무릅쓰고 검을 들었으며 정략결혼이 강행되자 검 한 자루 들고 가문을 뛰쳐나가 2년을 떠돌았다.

하나하나가 사교계를 뒤흔들 정도로 파격적인 행보.

더해 그런 행보를 가능하게 했던 재능과 의지.

그러나 그렇다 하더라도 그녀는 귀족이었다. 그녀는 자

신의 가문인 스타라이트 후작가를 위해 싸웠으며 귀족의 의무도 유예를 뒀을 뿐 모두 해내었다.

아무리 뛰어난 검술 실력을 가지고 있더라도 여인의 몸으로 왕실 기사단장의 단장직을 맡는다는 건 그녀가 그만큼 뛰어난 정치 감각을 가지고 있다는 뜻.

그렇기에 일라인 백작과 헤이즈는 그다지 친밀한 관계가 아니어도 결코 무례를 범한 적이 없었는데 이토록 많은 사람들 앞에서 무안을 주다니.

'대체 무슨 일이 있던 거지?'

그러나 그가 당혹스러워하거나 말거나 관심 없다는 듯 헤이즈는 일라인 백작을 지나쳐 크롬 왕국의 사신들에게 다가갔다. 사신단의 대표인 일라인 백작을 보조하기 위해 따라온 실무자들이다.

"한동안 한 길드에 머물기로 했어. 나만 한 실력자가 합류하는 대신 크롬 왕국에 식량을 비롯한 군수물자 지원을 약속받았고. 충분히 준다니까 잘 이야기해 봐."

"……후작님께서 실망하실 겁니다."

"하라고 해."

그렇게 말하고 영주성으로 올라간다.

사신단을 막을 때와는 다르게 병사들이 우르르 비켜선다.

"추, 충!"

"어머. 너무 딱딱하게 그러지 마. 그냥 손님인데. 그나저나 너 이름이 쿠거라고 했지? 아까 보니 기세가 대단하더라~"

"아, 아앗 저는……."

점점 멀어져 가는 헤이즈를 사신단은 멍한 표정으로 그저 지켜볼 수밖에 없었다.

* * *

3만의 군세가 남하하기 시작했다. 1만의 플레이어와 2만의 일반 병사들로 이루어진 군단.

'비율은 꽤 괜찮군.'

길드 레벨이 7을 넘어선 이후 플레이어의 수는 순조로이 늘어나고 있다. 더는 내가 클래스 카드를 사지 않아도 하루에 한 장씩 구매할 수 있는 여건이 마련되었기 때문이다.

이미 길드 레벨이 9레벨을 달성한 한 길드는 하급 클래스 소환 카드(7레벨 개방), 하급 펫 소환 카드(8레벨 개방), 하급 수호령 소환 카드(9레벨 개방)가 모두 열려 150명의 길드원 전부가 매일 1장씩 구매하는 상황이다.

모든 플레이어에게 받는 세금과 상납으로 산처럼 쌓여 있던 명예 코인은 매일매일 반복되는 소환 카드 구매와 6레벨에 개방된 9종의 스킬북 구매로 거의 바닥을 드러낸 상태다.

'하. 진짜 현타 온다.'

무지막지한 일이다. 만 단위의 플레이어가 거의 모조리 바치는 명예 코인이 다 사라지다니?

현실의 돈도 게임의 코인도, 모으는 건 한세월이지만 쓰는 건 한순간.

스킬북의 가격에 자비가 없으니 명예 코인을 더 모아야 한다. 기존의 출석 보상과 업적 보상으로는 한계가 있다.

'길드 콘텐츠를 해야 한다.'

일단 6레벨이 되어서 일반 등급의 길드 레이드가 열렸지만, 아직 그걸 해 본 적은 없다. 리벤지의 모든 콘텐츠가 그러하듯 길드 레이드는 그냥 할 수 있는 게 아니기 때문이다.

[소환의 열쇠]

제작을 통해 얻을 수 있는 아이템이다. 최고급 목재, 철, 보석, 천, 가죽 1개씩과 100만 골드를 소모해 일반에서 전설 등급의 소환의 열쇠를 확률로 얻는 것.

'최고급 가죽은 이미 합성해 놓은 게 산더미고 목재는 이대로 쭉 남하하면 나오는 드라이어드의 숲에서 구할 수 있다. 철은 오크 녀석들도 떨구니 문제없고…… 아, 최고급 천하고 최고급 보석은 어쩌지? 최고급 보석이 나오는 건 여기서 너무 먼 곳이고 최고급 천은 고급 천을

떨구는 아라크네가 멸망했는데…….'

그렇게 고민하고 있을 때였다.

"장관이네."

실크로 된 가운 한 장을 걸친 헤이즈가 남문을 통해 출진하고 있는 병사들을 바라보다 입을 열었다. 돌아보니 무슨 생각을 하고 있는지 복잡해 보이는 표정이다.

"솔직히 말하면 더 잡아 두고 훈련시키고 싶어. 더 이상 시간을 끌어 봐야 좋을 게 없어, 보내는 거지."

정찰병의 보고에 따르면 발칸 오크 요새의 상황이 그야말로 풍전등화라고 한다.

몰려오는 아이스 엘리멘탈의 숫자가 가면 갈수록 많아져 말 그대로 오크 전사들이 죽고 살기를 반복하는 지경.

그런데 문득 헤이즈가 기묘한 말을 했다.

"……아이스 골렘은 몸 전체가 얼음 덩어리라 날붙이가 통하지 않아. 둔기로 때려서 몸통을 깎은 뒤 몸통 한가운데에 있는 핵을 파괴해야 하지. 몸뚱이가 그 지경인데다가 지치지도 않아서 보통의 병사는 100명이 넘게 모여도 상대할 수 없었지."

"……?"

여전히 그녀는 아련한 표정을 병사들을 내려다보고 있다.

"예티는 상처 입을수록 힘이 강해지고 속도가 빨라져. 그 탓에 가장 용맹한 기사도 허무하게 죽는 경우가 잦았지. 그 잘난 척하던 쇼오프 후작이 예티에게 척추가 뽑혀 죽었어.”

“헤이즈.”

내 부름에도 그녀는 멍한 표정으로 병사들을 내려다보기만 했다. 정확히 말하자면 그 너머의 뭔가를 보는 것 같았다.

“무능한 주제에 욕심만 많던 귀족들도, 유능하고 충성심 넘치는 기사와 관료들도, 그리고 그 위에 군림하던 왕족도 모두 평등하게 죽어 나갔지…….”

“헤이즈!”

강하게 그녀를 부르며 어깨를 잡아 주자 공허하던 눈동자에 생기가 돌아온다.

“한.”

“재연이라고 불러. 사실 그게 성이거든.”

“그래, 재연아.”

헤이즈가 내 몸을 툭 밀어 침대로 쓰러트리더니 그대로 내 위에 몸을 실었다. 유혹의 몸짓이라기보다 마음의 안정을 찾으려는 행동으로 보였다.

“너를 만나지 못했을 때는 내 가출도 그리 길지 않았지.”

전신을 밀착시킨 헤이즈의 숨결이 내 귓가를 간질인다.

그리고 그 상태에서…… 헤이즈는 긴 이야기를 풀어 놓았다.

난데없는 정략결혼에 가출한 이야기.

그러나 실망스러운 [밖]의 모습에 1년 만에 다시 돌아간 이야기.

공간이 갈라지고 괴물들이 쏟아진 이야기.

치열하게 싸워 온 이야기.

위기의 순간 완성자의 경지에 도달한 그녀만이 살아남고 크롬 왕국의 모든 사람이 죽어 나간 이야기.

구원자에 대한 성녀의 예언. 그러나 나타나지 않는 구원자. 그리고 사람들을 [무릉도원]에 보낼 틈을 만들기 위해 희생한 이야기까지.

'이건…… 리벤지의 스토리군.'

나는 어렵지 않게 그 이야기의 핵심을 짚어 낼 수 있었다.

'플레이어가 없는.'

MMORPG 게임에서 플레이어는 전혀 특별한 존재가 아니다. 도시만 해도 NPC는 열에서 스물 남짓인데 플레이어는 수백수천 명이고 사냥터에 발에 치일 정도로 깔린 것 역시 모조리 플레이어니까.

그야말로 흔해빠진 존재.

그러나 [시나리오]에서의 플레이어는 다르다.

'원래 게임이 다 그렇지.'

플레이어는 주인공이고 당연히 특별한 존재여야만 한다. 플레이어는 게임 안에서 수많은 퀘스트를 성공적으로 수행하고 그 결과 대륙의 판도가 뒤바뀐다.

구원자.

메인 퀘스트를 진행할 때 NPC들이 플레이어를 지칭하는 단어이다.

'말하자면 회귀. 아니 정확히는 다른 시간선의 기억을 얻은 건가. 하기야, 클래스랑 궁합이 아무리 잘 맞는다 해도 클래스 카드 하나 얻었다고 환골탈태하고 소드마스터가 된다는 건 이상한 일이었지.'

"고생했어."

"……."

더 강하게 내 몸을 끌어안는 헤이즈의 등을 토닥이며 생각한다.

'이 세상은…… 대체 뭐지?'

아르데니아. 나의 내면세계에 존재하는 이 광대한 대륙은 모든 것이 불명이다.

왜 나 같은 일반인의 안에 있는지, 그 형태가 왜 하필 핵과금 게임인 리벤지의 형태를 가지고 있는지.

그러나 이 능력을 많이 다루면 다룰수록, 익숙해지면 익숙해질수록 하나의 생각이 머릿속을 지배한다.

'구멍투성이다.'

구현이 어려우니 그냥 '없는 셈' 쳐 버리는 명중, 크리티컬 등의 확률 스텟들.

수억의 몬스터와 거대한 성은 구현하지만, 끝끝내 구현

되지 않는 NPC.

클래스를 얻으면 이름까지 인식해 플레이어 취급해 주면서 ID가 없다고 채팅이 안 되는 허술함. 새로운 업데이트도 이벤트도 없어 방치된 업데이트 게시판과 우체통.

아무데나 돌아다니는 수준을 넘어 지들끼리 공성전까지 하는 몬스터.

복구 신청으로 무한히 찍어 낼 수 있는 전설 펫.

그리고 다른 시간선의 기억을 가진 헤이즈의 존재까지.

'말이 안 되는 일이지.'

처음에 나는 이것이 일종의 테스트나 중간 과정일지도 모른다고 생각했다. 위대한 게임 마스터나 그에 준하는 초월적 존재가 뭔가를 진행하는 도중이기에 이런 모습일 거라고.

그러나 아무리 생각해도 이상하다.

'썬더버드, 얼음 여왕……. 심지어 카심 같은 존재도 구현하면서 NPC를 구현 못 한다고? 필드 몬스터를 던전에 몰아넣을 수는 있으면서 명중 스텟은 구현을 못 해?'

도저히 상상할 수 없는 권능과 어린아이 같은 허술함이 공존하고 있었다.

늘 의문이었는데 헤이즈의 말. 그 [실패의 흔적]을 듣다 보니 문득 이런 생각이 들었다.

'이건, 이건 마치…….'

헤이즈의 등을 토닥이며 생각했다. 어쩌면 이 세계가.

만들다 버려진 [실패작].

혹은 연습 삼아 적당히 꾸며 본 [모방작]일지도 모른다고…….

'언젠가…… 모든 것을 알게 될 날이 오겠지.'

그렇게 생각을 정리한다. 사실 그런 날이 오지 않더라도 상관없다.

나는 거위가 어떻게 황금을 낳는지 궁금하다고 배를 갈라 볼 정도로 호기심 가득한 인간이 아니다.

"인류가 몬스터에게 멸망할 일은 없어."

"왜?"

"왜냐하면."

침대에서 일어난다.

장비를 변경해 무장을 갖추며 말한다.

"내가 녀석들 전부를 처지하고 대륙을 정복할 테니까."

"……."

착점을 먹었을 때 그것들은 내 안에서 차크라를 보조하는, 일종의 영역이 되었다.

만약 그렇다면…… 화점은 어떨까? 아르데니아 대륙에서도 영맥과 용맥의 가치는 천지 차이가 아니던가?

'어쩌면…… 경지가 오를지도 몰라.'

차크라를 다루는 데 완전히 익숙해졌음에도 내 경지는 고작 1층.

수련으로 성장하지 않는다면 다른 방법을 찾아야 한다.

"……한. 아니, 재연아."

"왜?"

그런데 헤이즈가 뜻밖의 말을 했다.

"나 섹스가 땡겨."

"……."

어이가 없어서 잠시 헤이즈를 바라보다가 웃었다.

"나중에."

이제는 완전히 장비를 갖춘 채 발코니로 향한다. 그리고 인터페이스를 조작해 카심을 소환했다.

쿵!

묵직한 굉음과 함께 내려서는 백색의 거체. 이제는 제법 익숙해진 듯 병사들 사이에서 비명이 터져 나오거나 하는 일은 없었다.

"크릉!"

등에 설치된 안장에 내려서자 카심이 가볍게 콧김을 뿜는다. 이어 뛰어내린 헤이즈가 나를 등 뒤에서 꽉 껴안는다.

"너 나중에."

어느새 무장을 갖춘 그녀가 귓가에 속삭였다. 왠지 모르게 으르렁거리는 말투다.

"잠도 못 잘 줄 알아."

"허세는."

태연히 답하며 조종하자 카심이 몸을 한껏 웅크린다.

그리고.

콰앙!

그대로 땅을 박차 날아오른다.

'서둘러야겠다.'

내 병력보다 먼저 도착해 성을 세워 놓아야 한다.

* * *

3만의 군세는 빠르게 남하하고 있다.

식량은 1만의 플레이어들이 각자의 인벤토리에 나눠서 보관 중이고 인벤토리에 들어가지 않는 물자는 인간과 동물들이 등에 지고 이동 중이다.

'좋아. 펫들이 제 역할을 하고 있군.'

일반 등급의 유일한 탑승 펫인 당나귀, 뭉치(일반)뿐만 아니라 버프 펫 중에서도 덩치가 큰 녀석들은, 예를 들자면 대형견인 덩달이(일반) 같은 녀석들도 가죽으로 만들어진 가방을 메고 짐을 나르고 있다.

똑같이 일반 등급 펫이어도 중앙 거래소에서의 가격이 천차만별인 것은 현실에서의 쓸모가 가지각색이기 때문이리라.

아무래도 고양이나 쥐라면 짐을 실을 수는 없을 테니까.

"와, 행군 속도가 엄청나네."

헤이즈의 말에 고개를 끄덕였다.

"체력을 제일 중요시하고 있으니까. 척후는 적어도 내일 오후쯤이면 오크 요새에 도착할 거야."

펄럭!

카심이 크게 날갯짓하자 저 아래 보이던 병력의 모습이 삽시간에 멀어진다.

그리고 그렇게 한참을 더 날았을까?

하늘에서 땅까지 이어진 빛의 기둥이 시야에 들어온다.

던전, 발칸 오크 요새였다.

"엄청 많군."

빛의 기둥 주변을 수천이 넘는 아이스 엘리멘탈들이 둘러싸고 있다. 그들 사이사이에 섞여 있는 예티, 아이스 골렘, 실녀 등의 엘리트 몬스터도 수백이 넘는 상황.

나는 카심을 활강시킨 채 땅을 내려다보았다. 몬스터들의 크기가 개미보다도 작아 보이는 높이였지만 이미 인간을 초월한 신체 능력은 문제없이 상황을 살필 수 있게 한다.

팟! 팟!

빛의 기둥 속으로 아이스 엘리멘탈들이 뛰어 들고 있다.

'완전히 밀려 버렸군.'

상황이 이 지경임에도 던전이 여전히 발칸 오크 요새인 걸 보면 던전 안에서 적들을 막고 있는 모양이다.

'던전에 들어가면 무리가 뿔뿔이 흩어져 각개격파하기 딱 좋으니까.'

그러나 지금처럼 병력이 계속 쏟아져 들어간다면, 어느 순간 던전 안에 오크보다 빙계 몬스터들의 수가 더 많아지게 될 것이다.

"이렇게 되면 오히려 오크들이 어떻게 버티고 있는지가 의문이네."

기본 상성에서부터 불리한데 심지어 숫자에서도 밀린다.

하늘에서 내려다보니 발칸 오크 요새의 서쪽과 남쪽으로 빙속성 몬스터가 줄지어 걸어오고 있다. 얼마나 많은 몬스터가 그 길을 따라 걸어온 것인지 하얗게 살얼음이 낀 두 갈래의 길이 하늘에서도 보인다.

"으, 추워. 정말 싫은 녀석들이야. 여름에도 이 지경이라니……."

헤이즈의 말에 내심 생각한다.

'이것도 게임하고 다른 점이지.'

게임에서야 얼음 몬스터가 있다고 주변 환경이 변하는 일은 없다. 물론 해당 몬스터가 등장하는 지역은 그 몬스터의 속성과 연관이 있지만 어디까지나 콘셉트에 불과한 것.

그러나 끝도 없이 냉기를 뿜어내는 괴물이 만 단위로 있다면 당연히 주변 온도가 떨어지기 마련이다.

하물며 냉기 그 자체로 이루어진 아이스 엘리멘탈 같은 녀석이 죽기라도 한다면?

녀석이 붙잡고 있던 냉기가 풀려나 사방으로 쏟아진다.

'그나마 탁 트인 곳이라면 냉기가 사방에 퍼져 나가기라도 하겠지만 그렇지 않다면 위험하다. 어쩌면…… 지금 던전 안은 거의 북극 수준일지도 모르겠군.'

그렇게 생각할 때였다.

팟!

빛의 기둥에서 오크 하나가 튀어나오더니 그대로 검을 휘두른다.

이미 준비하고 있었던 듯 검세가 강렬하기 짝이 없다.

촤악!

원형으로 그어지는 검격에 줄지어 던전으로 뛰어들고 있던 빙계 몬스터들이 일거에 쓸려 나간다.

대부분이 무력하게 당했지만, 개중 버티는 이들도 있다.

"크아아!"

예티가 피를 흘리며 괴성을 지른다. 상당한 부상을 입었지만 되려 눈이 벌게지며 기세가 차오른다.

그뿐이 아니다.

"죽-----어------!"

우르르 넘어지는 몬스터들 사이에서 솟구친 설녀가 적을 향해 달려든다. 마치 기다리고 있었다는 듯 벼락같은 반격!

그러나 검기를 쏟아 낸 소드 마스터 오크, 칸 슬래셔는 들고 있던 검에 묻은 냉기를 탁 소리 나게 털어 내더니 미련 없이 던전으로 들어가 버렸다.

설녀의 공격이 허공을 치고 예티는 뒤늦게 달려왔다가 고함만 내지른다.

"……효율적으로 싸우네."

"칸 슬래셔."

서늘한 목소리에 돌아보니 헤이즈가 나직한 목소리로 설명했다.

"검에 미친 검귀이자 오크족의 왕이라는 칸을 살해한 야심가야. 소드 마스터의 경지에 이르고도…… 한 번도 이겨 본 적이 없지."

"뭐, 보스 몬스터니까."

똑같은 희귀 등급이라도 일반 몬스터보다 엘리트 몬스터가 더 강하고 보스 몬스터는 그보다 훨씬 강하다.

특히나 보스 몬스터는 파티 공략이 기준이고, 레이드 몬스터는 공대 공략이 기준이기에 가진 스킬과 생명력, 마나력 등에서 엄청난 보정을 받는다.

물론 가장 강력한 보정을 받는 존재는 따로 있다.

'스페셜 몬스터.'

이곳에 얼음 여왕이 왔다면 이미 끝났을 싸움이다.

리벤지에서야.

'요번 얼음 여왕은 우리 철혈 길드가 잡겠습니다.'

'아닌데? 내가 잡을 건데?'

'지랄 마. 우리 길드 거!'

'그렇다면 전쟁이다!'

이러며 그 소유권을 다투는 먹잇감이지만…… 이곳에서는 다르다.

애초에 나 말고는 대부분 무과금 유저나 다름없는 상황이니까.

"얼음 여왕은 올 예정이 없나 보네. 하기야 얼음 여왕 입장에서는 바깥쪽 몬스터보다 안쪽 몬스터가 더 문제일 테니."

어쩌면 그녀 역시 중원에서부터 몰려나오는 고레벨 몬스터에게 시달리고 있을지도 모른다.

스페셜 보스는 실로 강대한 힘을 가지고 있지만 위 단계의 몬스터 다수가 몰려오면 마냥 쉽지는 않을 테니까.

쿵!

나는 적당한 거리를 두고 카심을 착륙시켰다.

"던전을 공략하고 나올 거야. 여기서 기다리고 있다가 성이 생기면 북문 쪽으로 달려와."

"혼자 괜찮아?"

"쓸데없는 걱정을."

피식 웃어 준 뒤 클래스를 변경했다.

★☆전직 완료☆★

검왕 =〉 베리언트 레인저

숲속을 차분히 걷는다. 주변 기온이 점점 낮아지는 게 느껴진다.

"여름에 오길 잘했네. 겨울에 왔으면 정예병들은 몰라도 일반병은 꽤 힘들었겠어."

[중급 은신(패시브)이 발동합니다!]

어느 순간 몸이 반투명해진다. 나는 새로운 펫을 소환했다.

〈그림자 고양이 레미(영웅)가 소환됩니다!〉

〈레미의 그림자가 영역을 넓힙니다! 은신이 강화되고 1회에 한해 강습 효과가 적용됩니다.〉

천천히 걸어 빛의 기둥까지 이동, 잔뜩 모여 있는 몬스터들의 사이를 잘 비집고 들어간 뒤 던전으로 진입했다.

아까처럼 몬스터들이 빽빽이 서 있었다면 불가능한 일이었지만 칸 슬래셔가 한 번 쓸어 버린 직후였기에 틈이 있었다.

팟!

[발칸 오크 요새]

빛의 기둥 안에 들어오자마자 느낀 것은 싸늘한 냉기였다. 대충 느끼기에도 영하 15도 이상.

그러나 느껴지기가 그렇다는 것이지 내게는 아무런 문제가 없다. [냉기의 수호 반지(희귀) +9]가 있기 때문이다.

얼음 여왕과 싸울 때를 위해 무수한 실패를 넘어 9강을 만들었는데 고작 이 정도 추위에 영향을 받으면 곤란하다.

'하지만 오크들은 그렇지 못하겠지.'

본래 숲속이었을 던전은 시야가 탁 트여 있다. 주변에 있는 모든 나무가 벌목되었기 때문이다.

요새를 바라보자 여기저기에서 타오르고 있는 모닥불들이 보인다.

얼마나 추위를 버티기 힘든지 요새를 구성하는 목책 일부를 떼어 내 모닥불에 던져 넣고 있다.

스윽.

은신 상태를 유지한 채 앙상해진 목책 사이로 들어선다. 요새 가운데로 빛의 기둥이 언뜻 보인다.

"으! 추워! 너무 춥다! 시간! 시간 안 됐나!?"

"다 되어 간다. 삼백스물하나, 삼백스물, 삼백열아홉……."

오크들이 수군거린다. 가만히 보니 무언가를 기다리는 모습.

그들이 뭘 기다리는지는 물어볼 필요도 없다.

'리젠을 기다리고 있다고?'

내가 예상한 것과는 다른 모습에 녀석들 근처에 몸을 숨기고 잠시간 기다린다. 그리고 녀석들이 숫자를 다 세고 나자.

팟!

바로 근처에서 지팡이를 든 오크가 모습을 드러낸다.

발칸 오크 주술사(희귀).

제크.

녀석은 나타난 채로 잠시 멍하니 서 있다가 이내 고개를 흔들었다.

"이런, 설마 또 죽었나? 오늘이 언제지?"

제크의 물음에 그의 부활을 기다리고 있던 오크들이 답했다.

"주홍달 푸르슴 날이다."

그의 말에 주술사가 인상을 찡그렸다.

"3일을 못 버티고 죽은 모양이군…… 어떻게든 뚫었어야 했는데. 혹, 내가 죽는 모습을 본 자가 있나?"

"대장군님뿐이다! 그보다 주술사! 춥다! 따듯하게 해다오!"

"아까운 주술력을."

주술사는 불만을 토했지만 이내 주술을 걸어 주었다.

나는 그 모든 모습을 옆에서 지켜보았다.

'역시 죽으면 기억을 잃는 모양이군. 다만 던전 안에 있으면 기억을 지킬 수 있는 모양이야. 어쩌면 세이브 포인트처럼 던전에 돌아올 때마다 기억을 갱신하는 방식일지도 모르고.'

나는 그들을 지나쳐 요새 안쪽으로 들어갔다. 아무도 나를 눈치채지 못했다. 그들이 둔감해서라기보다는…… 그들의 상태가 하나같이 최악이기 때문으로 보인다.

"춥다…… 추워……."

"배도 안 고픈 이 신비한 공간에…… 왜 추위는 있는 거지?"

"추워…… 왜 언덕을 벗어날 수 없지?"

요새의 분위기는 어두웠다, 처음 봤을 때의 호탕함은 찾아볼 수 없다. 끝없는 전투와 추위로 인해 사기가 바닥을 기는 상황으로 보였다.

그리고 요새의 한가운데.

명상을 취하고 있는 칸 슬래셔의 모습이 보인다.

'지쳤군.'

명상하고 있지만, 녀석의 상태 역시 정상이 아니다. 초췌해진 얼굴과 쪼그라든 기도는 그가 제대로 된 휴식도 취하지 못한 채 전투를 이어 가고 있다는 것을 알려 준다.

'이 지경이 되어도 후퇴하지 못하는군. 역시…… 이 던

전을 빼앗기면 안 된다는 걸 느끼고 있는 거야.'

어떤 몬스터가 다른 착점의 몬스터를 몰아내고 던전을 차지하면 그곳의 몬스터를 지배하는 게 아니라 그 던전에서 정복자와 같은 종류의 몬스터가 리젠되게 된다.

즉 던전을 빼앗긴다는 것은 그저 터전의 빼앗김이 아니라 종의 소멸.

이렇게 극단적인 상황이 되어도 후퇴도, 탈출도 불가능한 이유다.

'마음 같아서는 직접 쓰러트려 주고 싶지만…… 그럴 상황은 아니군. 의미도 없고. 나중에 헬난이도 던전에서나 싸워 봐야겠다.'

그렇게 생각한 나는 그림자 고양이 레미를 돌려보내고 포효하는 드레이크 카심을 소환했다.

당연히 은신이 풀리고 오크들이 내 모습을 발견한다.

"뭣!?"

"적! 적이다!"

"모두 일어나! 드레이크다!"

모두가 기겁해 몸을 일으켰지만 움직임들이 둔하기 짝이 없다. 심지어 소드 마스터 칸 슬래셔조차 단번에 덤비지 못하고 멈칫하는 게 보인다. 가뜩이나 지치고 힘든 상황이라 기가 꺾여 있는 상황에서 카심의 힘을 느꼈기 때문이겠지.

그리고 상황은.

“울어라, 카심.”

그것으로 끝이었다.

〈카심이 포효합니다!〉

(열일하는 과금 기사 4권에서 계속)

환상이 숨쉬는 공간 파피루스 blog.naver.com/gnpdl7
「무당신룡」「현실에서도 플레이어」의 작가 초혼
그가 선보이는 통쾌한 이야기!
「인성자의 회귀는 다르다」
전쟁에선 승리했으나
인류의 멸망은 막아 내지 못한 성자(聖者), 이우신
그는 모든 것을 뒤바꾸기 위해
15년 전으로 회귀하는데……
"혹시 그 말 알아요? 인생실전 노빠꾸라고."
쓰레기들에게 자비란 없다
인성질의 끝을 보여 주는
무자비한 인성자(人性者)가 돌아왔다!
초혼 현대 판타지 장편소설
인성자의 회귀는 다르다

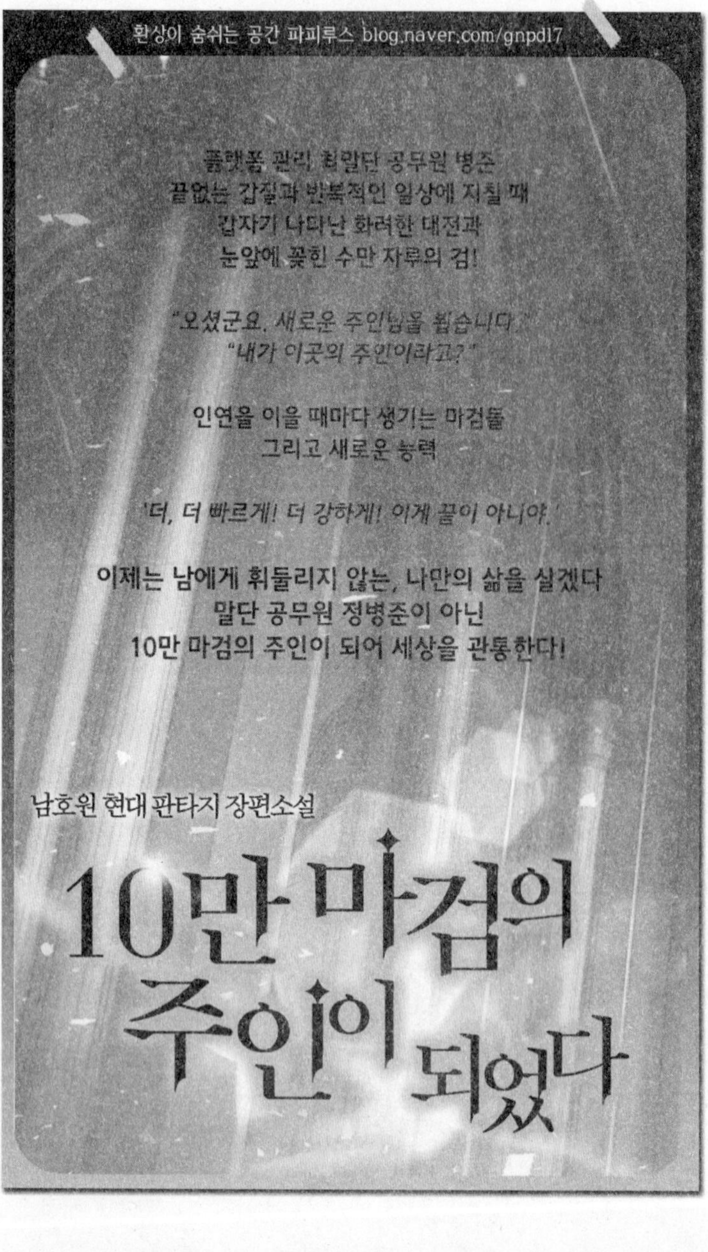
환상이 숨쉬는 공간 파피루스 blog.naver.com/gnpd17
플랫폼 관리 최말단 공무원 병준
끝없는 갑질과 반복적인 일상에 지칠 때
갑자기 나타난 화려한 대전과
눈앞에 꽂힌 수만 자루의 검!
"오셨군요. 새로운 주인님을 뵙습니다."
"내가 이곳의 주인이라고?"
인연을 이을 때마다 생기는 마검들
그리고 새로운 능력
'더, 더 빠르게! 더 강하게! 이게 끝이 아니야.'
이제는 남에게 휘둘리지 않는, 나만의 삶을 살겠다
말단 공무원 정병준이 아닌
10만 마검의 주인이 되어 세상을 관통한다!
남호원 현대 판타지 장편소설
10만 마검의 주인이 되었다